D0586693

Als niemand kijkt

Ander werk van Marjolijn Hof

Een kleine kans (2006) Bekroond met de Gouden Griffel 2007, de Gouden Uil Prijs van de Jonge Lezer 2007 en de Gouden Uil Jeugdliteratuur 2007
Oversteken (2007)
Moeder nummer nul (2008)

Marjolijn Hof
Iris Kuijpers

Als niemand kijkt

Amsterdam · Antwerpen · Em. Querido's Uitgeverij BV · 2009

www.queridokind.nl
www.slashboeken.nl
www.slashboeken.hyves.nl
www.marjolijnhof.wordpress.com

Omslag Studio Ron van Roon
Omslagbeeld Hans Neleman (Getty Images)

ISBN 978 90 451 0761 5 / NUR 284

Achttien en een half

Mijn lijf wilde niet, maar het moest: opstaan, yoghurt eten, naar het station. De trein van half acht stond er nog en ik kwam vroeg in de stad aan. Ik nam de lange route naar de balletacademie, een omweg langs de gracht en over de witte ophaalbrug. Uit de openstaande deur van De Espressobar kwam de geur van versgemalen koffiebonen. Ik beloofde mezelf een koffie verkeerd op de terugweg. Als ik nu al naar binnen ging om iets te bestellen, zou ik nooit meer in beweging kunnen komen.

Iedere lesdag begon met Galina de Verschrikkelijke, maar de maandagen waren het ergst. Ik had er het hele weekend tegen opgezien. Galina zou me vertellen wat ik moest doen. Ze zou me vertellen wat ik verkeerd deed. Ze zou me nog een keer vertellen wat ik moest doen en dan weer wat ik verkeerd deed omdat ik altijd wel iets verkeerd deed: 'Langzame plié, Julia. Heb je geen oren aan je hoofd? Langzame plié in achten. Vier down. Vier up!'

Ze was er nog niet toen ik de zaal binnenkwam. Pavel was er wel. Hij zat achter de vleugel in de hoek. Hij leunde achterover en nam een slok uit zijn waterflesje.

Langzaam liep ik langs de spiegelwand. Ik keek naar mezelf en naar de anderen. Dun genoeg? Gespierd genoeg? Mooi genoeg?

Ik droeg een bruin balletpak met een open rug. Daaroverheen een panty met afgeknipte voeten. Ik had canvas balletschoenen aan en een sweatshirt met een capuchon. Dansers houden van slordigheid. Zorgvuldig gecreëerde slordigheid, dat wel. Een strak lijf lijkt nog strakker als je het een beetje rommelig aankleedt.

De meeste meiden waren er al. Ze deden rekoefeningen op de grond of aan de barre. De jongens kwamen iets later binnen. Het waren er drie, maar dat was meer dan genoeg. Ze hadden een hoop ruimte nodig.

Ik lette vooral op Duncan. Niet alleen omdat hij een goede danser was met een goed lijf, maar vooral omdat zijn gezicht zich nergens iets van aantrok. Duncan kon bekken trekken, glimlachen, met zijn ogen rollen en flirten en ondertussen zijn oefeningen afwerken. Maar hij kon ook geconcentreerd zijn als het moest. Als Galina naar hem keek werd zijn gezicht neutraal. Ik wist niet hoe mijn gezicht eruitzag als Galina naar me keek, maar ik kon me niet voorstellen dat het neutraal was.

Duncan liep naar de muziekinstallatie en schoof er een cd in. Pavel deed net alsof hij niets in de gaten had.

'Clap your hands,' zei Duncan.

'Doe het zelf,' zei Kitty. Ze was niet in voor een geintje. Ze had de laatste selectie maar net aan overleefd en ze trainde harder dan wie dan ook.

Een droog ritme. De stem van Justin Timberlake.

'She's freaky and she knows it.
She's freaky and I like it.'

Duncan stak een arm in de lucht en bewoog zijn schouders.

'Listen.'

Hij draaide met zijn heupen en stak zijn kin in de lucht.

'She grabs the yellow bottle,
she likes the way it hits her lips.
She gets to the bottom,
it sends her on a trip so right.'

Kitty rende naar de deur om te kijken of Galina eraan kwam.

'She might be goin' home with me tonight.'

Duncan zong mee.

'She looks like a model
except she's got a little more ass.'

Ik legde onwillekeurig een hand op mijn bil, betrapte mezelf en deed net alsof ik mijn balletpak rechttrok.

Duncan lachte.

'Ze komt eraan!' riep Kitty.

Duncan drukte op de stopknop en pakte rustig, alsof hij alle tijd van de wereld had, zijn cd. Hij liep naar de kleedkamer, vlak langs Galina, die met stramme passen de zaal binnenkwam.

Als brave kindertjes gingen we aan de barre staan. Galina nam er genoegen mee, ze had de muziek op de trap al gehoord, dat kon niet anders, maar ze had besloten er verder geen punt van te maken.

Ik trok mijn sweatshirt uit en legde mijn hand op de barre. Ik had een plek bij het raam gekozen zodat ik de gracht kon zien.

Duncan was net op tijd terug voor de reverence, de buiging waarmee we iedere les begonnen. We bogen naar Pavel, die zijn eerste stukje speelde, en daarna naar Galina. Ik deed het zonder veel aandacht.

'Voor wie is deze reverence?' vroeg Galina.

Niemand gaf antwoord.

'Iek schta hier!' Galina begon zich nu al op te winden en haar Russische accent kwam bovendrijven. 'Maak je een reverence dan kijk je! Look! Look me in the eye!'

Pavel zat met zijn handen in zijn schoot te wachten. Het waterflesje stond onder zijn stoel.

Galina zuchtte nadrukkelijk. Even was ik bang dat we

de reverence over moesten doen, maar ze begon aan de warming-up. 'Plié: demi – strek, demi – strek, grand plié, relevé. Second position en hetzelfde in vierde, vijfde en links.'

Ze bewoog haar handen als een zwemmer op het droge. Ze deed haast nooit een oefening echt voor, bijna altijd gebruikte ze haar handen om ons uit te leggen wat we met onze benen moesten doen. En ze gebruikte haar stem. Zoals zoveel docenten prakte ze minstens drie talen door elkaar. Vier, als je de Franse balletermen meetelde.

'Julioeschka! You know what to do? Heb je gehoord?'

Pavel zette in.

Ik boog mijn benen en zakte naar beneden. Ik kwam weer omhoog. Ondertussen probeerde ik naar buiten te kijken. Aan de overkant van het water zat de mooiweerman in zijn vensterbank de krant te lezen. De mooiweerhond zat voor het raam op de stoep. Van de lente tot de herfst zaten ze daar bijna iedere morgen. De man met een kop koffie en de hond met niks. Alleen als het regende was het raam dicht. De mooiweerhond was groot en zwart. Zal ik naar beneden gaan om hem te aaien? dacht ik. Zal ik de zaal uit lopen?

Grand plié. Ik zakte dieper naar beneden.

'Popo láág!' zei Galina.

De elastiekjes van mijn balletschoenen knelden. Nu al. Ik had nog anderhalf uur te gaan tot de eerste pauze. Dansen en luisteren. Vooral luisteren, want Galina had een hoop commentaar. Eerst op de pliés en daarna op alle volgende oefeningen. De meeste moesten we nog een keer overdoen en zelfs dan had ze er nog een heleboel op aan te merken.

Ik lette net genoeg op. Buiten las de mooiweerman nog steeds zijn krant. In de zaal probeerde Duncan mijn aandacht te trekken. Hij keek me aan en probeerde me aan het lachen te maken. Een spelletje. Als ik lachte had Duncan gewonnen, als ik niet lachte had ik gewonnen. Ik won met gemak. Ik zou honderd keer achter elkaar kunnen winnen, maar Duncan gaf het op. De oefeningen werden zwaarder en er was geen energie meer over voor spelletjes. We hadden alle aandacht nodig voor onszelf. De gezichten in de zaal werden strakker.

'Ronds de jambe en l'air!' zei Galina. Ze deed het met haar droogzwem-armen voor. Ze gaf Pavel een aanwijzing in het Russisch. Pavel speelde. Ik boog mijn knie en cirkelde met mijn onderbeen.

'Julioeschka, bovenbeen stil.'

Mijn been trilde. Op mijn rug en mijn borst stond koud zweet. Het leek alsof iemand me langzaam in een klamme lap wikkelde.

Ik zeg dat ik me ziek voel, dacht ik. Ik zeg dat ik grieperig ben en koorts heb en naar huis moet omdat ik anders flauw ga vallen. Ik zeg dat mijn enkel weer pijn doet en dat ik niets mag forceren.

'Heup recht!' zei Galina. 'Stretch your knee. Stretch. Stretch harder!'

Ze begon aan een eindeloze uitleg. Ze kwam naar me toe en pakte mijn been.

'Ik wou dat je oren had op je knie. Dat je knie zou luisteren! Ears! Here!' Haar hand drukte op mijn knieschijf.

Het had geen zin om iets terug te zeggen. Ik wachtte tot ze klaar was en naar een andere leerling liep. Het was maar goed dat ze het alleen over mijn oren had gehad en niet over mijn ogen. Die keken alweer naar buiten, naar de mooiweerman en de mooiweerhond en de mensen die over de gracht liepen. De gewone wereld leek ver weg. Mijn eigen wereld was zoveel kleiner en benauwder.

Ik zag mezelf naar de kleedkamer lopen, naar buiten,

naar het station en naar huis om te vertellen dat ik zou stoppen met dansen. Ik dacht aan mijn ouders. Aan de keren dat ze me naar balletles hadden gebracht, aan de speciale maaltijden die ze kookten, aan al het geld dat ze hadden betaald. Ik dacht aan mijn moeder die in het begin mijn haar in een knot draaide omdat ik het zelf nog niet kon. Iedere morgen om zes uur stond ze met haarspelden te friemelen.

Hoe zou ik kunnen stoppen? Ik was achttien. Achttien en een half om precies te zijn, want iedere moeizame maand telde mee. Achttien en een half en ik had bijna mijn hele leven gedanst.

'Battements frappés!' riep Galina.

In mijn hoofd lagen al weken dezelfde woorden te sudderen. Stoppen of dansen. Het een of het ander. Dansen voor wie? Voor mezelf? Voor mijn ouders? Voor Galina? Nee, voor Galina niet. Nooit voor Galina.

De stem in mijn hoofd was zo helder dat ik ervan schrok.

Stoppen of dansen. Het een of het ander. Als het dansen werd zou ik mezelf moeten geven. Helemaal.

Ik werd bang. Stoppen of dansen, ik was dicht bij een antwoord. Pavel speelde en Galina kwam naar me toe.

'Julioeschka!'

Het een of het ander.

'Julioeschka!'

Toen wist ik het.

Vijf

'Jij was een prins en ik was de fee,' zei ik.

Tamtatatatamtam tatata. De Notenkraker van Tsjaikovski. We waren net naar een balletuitvoering in Het Muziektheater geweest. Mijn moeder zette thuis de cd op en mijn zus Inez en ik stoven op onze sokken door de kamer, draaiden rondjes, pakten elkaar vast en lieten elkaar weer los. *Tamtatatatamtam tatata*. Mijn maillot zakte af, maar dat was niet erg. De muziek slokte me op. Ik zat weer in de zaal en ik zag het toneel en de dansers en ik draaide net zo snel en sprong net zo hoog. De kamer was veel te klein.

'Er is nog helemaal geen prins,' zei Inez. 'Die komt later want eerst is hij een notenkraker en daarna wordt hij een prins. En er is ook nog geen fee.'

Ze deed voor hoe het moest: met kleine sprongetjes om de tafel heen.

'Dit is de kindergalop,' zei ze. 'Hop, hop, hop, dit is de kindergalop!'

Op het toneel hadden kinderen meegedanst. Meisjes in jurken en jongens in broeken en een jasje. *Tamtatatatamtam tatata*.

'Later mag ik ook meedoen,' zei Inez. 'Met het echte ballet.'

Ze pakte mijn handen en we galoppeerden samen verder.

'Dan was jij een kind en ik een fee,' zei ik.

Inez ging al een tijdje naar balletles en ik nog maar net. Lisa, mijn jongste zus, was nog te klein om ergens les in te krijgen.

De balletschool was in het buurthuis. De eerste keer had ik door het raam naar binnen gekeken. Ik zag meisjes in roze pakjes langshuppelen. Ik wist niet of ik dat zou durven, huppelen met vreemde meisjes erbij. Maar alles wat Inez deed, wilde ik ook en dus ging ik de volgende keer mee naar binnen. Net als Inez had ik een roze balletpakje, een roze panty en een roze haarband met een roze pompon.

Ik mocht niet bij Inez in de groep. De beginnelingen zaten in een apart balletklasje. We dansten nog niet echt, we deden oefeningen en spelletjes en soms speelden we dat we dieren waren. De huppelpasjes vond ik het fijnste om te doen. Met mijn handen in mijn zij dwars door de zaal. Ik durfde het best.

'Goed zo!' riep de juf.

Dat zei ze wel vaker en vooral tegen mij.

Toen de repetities voor de jaarlijkse balletuitvoering begonnen, kreeg ik een rol. Een meisje uit een andere groep danste Sneeuwwitje en ik was één van de zeven dwergen. Er kwam een hulpmoeder met een koffer vol make-up. Ze maakte mijn neus rood.

'Ik wil geen baard,' zei ik.

'We hebben niet eens baarden,' zei de hulpmoeder. 'Ze zien zo ook wel dat jullie dwergen zijn.'

De zeven kleinste kinderen dansten op het toneel om Sneeuwwitje heen. Ik keek naar de dwerg voor me en alles ging goed.

Na de voorstelling wist ik zeker dat ik op balletles wilde blijven.

Acht

Op een dag haalde ik Inez in. Ik mocht meedoen met de oudere kinderen. In de paar jaar dat ik danste had ik zoveel geleerd dat ik niet meer in mijn eigen groep paste.

Ik moest wennen. In het begin liep ik de hele tijd achter Inez aan.

'Juul,' zei ze. 'Ga nou eens weg.'

Maar ik wist niet waar ik heen moest. De andere meisjes waren veel ouder, ze praatten over dingen waar ik geen verstand van had en ze lachten om dingen die ik niet grappig vond. Soms wilde ik iets zeggen, maar dan voelde ik mijn wangen gloeien.

'Je wordt rood,' zei Inez en daar werd het alleen maar erger van.

Het ging beter als we dansten. Dan kon ik iedereen bijhouden. Het was bijzonder, zei de balletjuf, en dat vond ik zelf ook. De muziek nam me mee, iedere keer weer opnieuw.

Ik had altijd zin in ballet, maar Inez wilde af en toe thuisblijven. Toen het op een winterdag heel hard sneeuwde, moest en zou ze een sneeuwpop maken. Mijn moeder vond het goed.

'Dan gaan we met z'n allen naar buiten,' zei ze. 'Voor één keer slaan we ballet over.'

We liepen naar het park.

'In De Notenkraker zit een sneeuwvlokkendans,' zei mijn moeder. 'Ik zal de muziek weer eens opzetten.'

Thuis liet ze ons horen hoe het klonk. Ik dwarrelde op

de muziek door de kamer, maar het was niet zo leuk als balletles.

Zoals ieder jaar deden we mee met de balletuitvoering in de schouwburg en Inez en ik kregen allebei een grote rol.

In de kleedkamer liepen alle kinderen zenuwachtig door elkaar. Kleuters in muizen- en kattenpakjes, meisjes in tutu's, meiden en jongens van veertien en vijftien in zwarte balletpakken. Inez was een gele bloem. Eerst had ik ook een bloem willen zijn, maar de balletjuf vond dat een prinses beter bij me paste.

'Er is maar één prinses,' zei Inez, 'dus die is het belangrijkste.'

Ik durfde niet in mijn eentje belangrijk te zijn. 'Er zijn twee bloemen,' zei ik. 'Maar er is maar één gele.'

Ik had een jurk aan met een pofrok en satijnen mouwtjes. Toen ik het toneel op kwam, schrok ik van het licht en van de donkere zaal daarachter, waarvan ik niet veel meer kon zien dan de eerste rijen. De passen die ik zette waren wiebelig. Er was een moeilijke draai waar ik me zorgen over had gemaakt, maar die lukte en daarna lukte opeens alles. Ik durfde van top tot teen te bewegen en het hele toneel te gebruiken. Iedereen mocht naar me kijken. Iedereen móést naar me kijken, want ik was de prinses.

Aan het eind van de voorstelling was er een grote finale. Alle dansers liepen het toneel op en ik mocht naar voren komen. Ik maakte een reverence die ik honderd keer had geoefend. Een mevrouw gaf me een bos bloemen.

Toen ik een halfuur later, weer in mijn eigen kleren, de bar van de schouwburg binnen liep, keek iedereen op. Ik kreeg nog meer bloemen.

'Jullie waren goed,' zei mijn moeder tegen Inez en mij.

'Het was prachtig,' zei mijn vader.
Zelfs Lisa vond het mooi.

Negen

De balletjuf kwam voor het begin van de les naar me toe. Ik stond met een paar andere meisjes in de gang te wachten. Inez was er ook bij.

'Julia,' zei de juf, 'binnenkort zijn er audities voor de balletacademie. Zou je daar heen willen?'

'Ja,' zei ik.

'Je moet er maar eens over nadenken,' zei de juf. 'En ik wil graag weten of je ouders het goedvinden.' Ze keek naar Inez en naar de andere meisjes. 'Julia heeft de juiste leeftijd,' zei ze. 'Dat is belangrijk. Het lukt alleen als je vroeg begint.'

'De balletacademie is voor ukkies,' zei een van de meisjes toen de juf weg was.

'Ukkepukkies,' zei een ander meisje.

Inez trok me mee de balletzaal in.

De hele les voelde ik dat de juf me extra goed in de gaten hield. Ik liet haar zien dat ik het kon. Eerst aan de barre en later in het midden van de zaal. Ik maakte een pas de chat, een kattensprong, die niemand me na kon doen. Met twee benen tegelijk opgetrokken in de lucht en mijn voeten precies genoeg gekruist.

Ik holde naar huis met Inez vlak achter me aan. Bij de achterdeur had ze me bijna ingehaald.

'Mam!' riep ik.

'Ze wil naar de balletacademie,' zei Inez.

'Als het mag,' zei ik.

'Het mag toch wel?' zei Inez.

Mijn moeder bleef heel rustig. 'Zoiets had ik wel verwacht.'

'Mag het?' vroeg ik.

'Ho even,' zei ze, 'niet zo snel.'

Mijn vader en moeder zeiden dat ze trots op me waren. Daarna noemden ze alle bezwaren op die ze konden bedenken. Ik zou niet op mijn oude school kunnen blijven. Ik zou met de trein naar de balletacademie moeten, misschien wel helemaal alleen. En ik zou moeten wennen en ik zou het heel druk krijgen. Het zou zwaar worden en vermoeiend. En ik zou bijna nergens anders tijd voor hebben. Zo gingen ze nog een tijdje door. Ik moest heel zeker weten dat ik het wilde.

'Ik zou het doen als ik jou was,' zei Lisa.

'Eigenlijk is het niet eerlijk,' zei Inez. 'Ik wou dat ik het mocht.'

'Julia moet eerst nog auditie doen,' zei mijn vader. 'Niets is nog zeker.'

'Ik ben niet jaloers,' zei Inez.

Ik kon zien dat het niet helemaal waar was.

'Hoe gaat dat, zo'n auditie?' vroeg mijn moeder.

De balletjuf, mijn moeder en ik reden met de auto naar een oud gebouw. Er waren heel veel andere kinderen met andere moeders en balletjuffen en hier en daar ook een vader. Overal was het druk en warm en vol geluid, iedereen tetterde door elkaar heen. Ik kreeg een lapje stof waar een nummer op stond en een veiligheidsspeld. In de kleedkamer trok ik mijn balletkleren aan. Ik droeg zwart, want roze was kinderachtig. Mijn moeder maakte op de gang het lapje met het nummer vast op de voorkant van mijn balletpak:

ik was nummer 63. Thuis had ze mijn haar al in een knotje gedraaid. Ze duwde een paar losse plukjes goed.

'Klaar?' vroeg ze.

Ik knikte.

In de danszaal aan het eind van de gang begon een andere wereld. Niemand durfde daar harder te praten dan nodig was. Aan één kant van de zaal was een spiegelwand en aan een andere kant stond een tribune. Mijn moeder en de balletjuf gingen vooraan zitten zodat ze me goed zouden kunnen zien. Dwars op de tribune stond een tafel. Daar zat de jury achter. Twee mannen en drie vrouwen, die de beste leerlingen zouden uitkiezen. Ik keek om me heen. Er waren veel te veel kinderen. Zou je meteen worden weggestuurd als je een fout maakte? Een van de mannen had een bril op, hij zag er streng uit.

'Ga jij maar weg, meisje!' Zou hij dat gaan zeggen?

We stonden in rijen te wachten, allemaal met een nummer op onze buik. Rij voor rij moesten we naar voren komen. Gelukkig waren er een heleboel rijen voor me zodat ik kon zien wat de anderen deden voordat ik zelf aan de beurt was.

Eerst stond een rij recht voor de tafel. De juryleden keken. Daarna draaiden alle kinderen een kwartslag naar rechts en nog steeds keken de juryleden. Weer een kwartslag naar rechts en weer. Er werd niemand weggestuurd.

De kinderen gingen op de grond zitten en een vrouw liep van kind naar kind. Ze trok hoofden naar achteren, duwde knieën opzij en ze probeerde voeten zo ver mogelijk te strekken.

Ik stond achter in de zaal en vouwde eerst mijn ene voet en toen mijn andere dubbel. Ik duwde mijn wreven naar de grond om ze soepel te maken.

Toen mijn rij aan de beurt was liep ik zo mooi mogelijk naar voren en ik zorgde dat ik goed voor de tafel ging staan: gestrekte knieën, buik in, rug recht, schouders laag, hals lang, hoofd rechtop. Ik zag de ogen van de juryleden langs de rij gaan en langs mijn lijf en weer verder. Ze maakten aantekeningen.

Op de grond probeerde ik de mevrouw te helpen door mijn hoofd zelf naar achteren te duwen.

'Ontspan je,' zei ze.

Ik boog nog iets verder naar achteren.

'Je hoeft niets te doen,' zei de mevrouw. 'Ik wil dat je een pakje boter bent.'

Ze duwde mijn knieën opzij en mijn voeten naar beneden. Ik zag dat de man met de bril iets opschreef. Het was iets vreselijks, dat wist ik zeker. Meisje 63 heeft een rood hoofd. Meisje 63 is te slap. Meisje 63 is ongeschikt.

Voor de tweede helft van de auditie werd een barre in de zaal gezet. Een ronde houten leuning op poten. Het was voor het eerst dat ik aan een barre stond die niet aan de muur vastzat. Ik moest mijn been naar voren en naar achteren strekken. De mevrouw kwam langs om te proberen of het nog iets hoger kon.

Voor me stond een jongen. Ik hoorde hem zuchten en ik zag zijn been trillen.

'Het leek wel een vleeskeuring,' zei mijn moeder in de pauze.

'Zo gaat het altijd,' zei de balletjuf.

'Vond je het erg?' vroeg mijn moeder aan mij.

Ik had mijn gewone kleren weer aangetrokken en zat met mijn ballettas naast me op een houten bank. 'Nee,' zei ik.

'Ben je zenuwachtig?' vroeg ze.

'Een beetje.'

We moesten bijna een uur wachten. Mijn moeder ging af en toe naar buiten om een luchtje te scheppen, de balletjuf en ik bleven waar we waren. De meeste kinderen durfden niet weg te gaan. Ze zaten stil in een hoekje of waren juist extra druk met elkaar aan het praten.

'Het ging helemaal niet,' zei een meisje met een opgerolde vlecht op haar hoofd. 'Ik weet niet waarom, maar het ging gewoon niet.'

'Ik weet niet wat ik moet doen als ik niet mag,' zei een ander meisje.

'Doe niet zo stom,' zei het meisje met de vlecht. 'Natuurlijk mag jij. Bij jou ging het juist goed.' Ze stootte me aan. 'En bij jou?'

'Ik denk het wel,' zei ik. Alle moeilijke dingen die ik op balletles had geleerd had ik nu niet hoeven doen. Het was veel gemakkelijker geweest dan ik me had voorgesteld.

Een vrouw die bij de balletacademie hoorde, kwam aanlopen met een stapel enveloppen. Mijn moeder was net op tijd weer binnengekomen. De vrouw liep heen en weer en las namen op en een voor een pakten de kinderen hun envelop aan. De meesten maakten hem meteen open.

Een meisje gilde. Een ander meisje sprong op en neer. Sommige kinderen vertrokken meteen. Het meisje dat aan me gevraagd had hoe het was gegaan trok huilend haar jas aan.

'Julia Raaijmakers,' zei de vrouw. 'Dat ben jij, als ik het goed heb.'

Ze weet hoe ik heet, dacht ik. Ze weet dat ik het ben. Ik pakte mijn envelop aan en gaf hem aan mijn moeder zodat zíj hem open kon maken. Ze haalde er voorzichtig een papier uit.

'Je bent door,' zei ze.

'Door!' zei de balletjuf. 'Door!'
'Ik ben door,' zei ik.
'O jee,' zei mijn moeder.

Negen

Ik ging naar balletles en vertelde daar hoe het was gegaan.
'Maar ze is er nog lang niet,' zei de balletjuf. 'Er komen nog meer audities en lessen en pas als dat allemaal achter de rug is weten we of Julia is toegelaten.'
Ze vonden het allemaal fijn. Of ze deden alsof, want ik wist dat sommige meisjes jaloers waren.
We begonnen met een paar oefeningen aan de barre en daarna dansten we in een rij over de diagonaal.
'Strek uit!' zei de balletjuf. 'Twee, drie, vier.'
Ik deed mee, maar ik hoorde er niet echt meer bij. Het leek alsof ik langer was dan de anderen, alsof ik overal boven uitstak. Alsof ik opeens was gegroeid en nu zo opviel dat iedereen wel naar me moest kijken. Het was fijn en het was doodeng, allebei tegelijk.

Thuis was alles nog zoals het was.
'We zullen wel zien hoe het gaat,' zei mijn moeder.
Op de dag van de tweede auditie draaide ze mijn haar in een knot. Ze deed het net zo kalm als anders, maar ik voelde aan haar handen dat ze zenuwachtig was. Ze pakte een haarbandje met zwarte koeienvlekken.
'Niet die!' zei ik.
'Hij zit er al omheen,' zei mijn moeder. 'Laat nou maar, want anders komen we te laat.'

De tweede auditie was in een gebouw van de balletacademie. De mevrouw die de vorige keer de enveloppen had uitgedeeld was er ook.

'Dag Julia,' zei ze.

Ik kreeg weer een buiknummer mee en ging me omkleden. Er waren een paar jongens en veel meisjes en die zagen er allemaal een stuk beter uit dan ik. Mijn knot was scheefgezakt en het koeienprintbandje hing er flodderig omheen.

Mijn moeder mocht de danszaal niet in en de balletjuf was thuisgebleven. Ik liep zo onopvallend mogelijk naar binnen. Ik dacht de hele tijd aan mijn haar, meisjes met raar haar werden minder snel uitgekozen, dat leek me logisch.

Het was een auditie met muziek. Een pianist speelde en we deden oefeningen aan de barre. Er was een mevrouw die vertelde wat we moesten doen en een jury die ons bekeek. Daarna moesten we de barre loslaten en een voor een door de zaal dansen.

'Je bent een vogel,' zei de mevrouw. 'Laat maar zien wat voor vogel.'

'Een struisvogel,' zei een meisje in een blauw balletpak.

'Niet vertellen,' zei de mevrouw. 'Alleen laten zien. Je gaat een vogel dánsen.'

Het meisje rende met snelle pasjes door de zaal. Struisvogels vliegen niet.

Ik probeerde een vogel te bedenken. Een meesje. Maar een ander meisje fladderde al meesachtig rond. Een eend? Een jongen legde zijn handen op zijn rug en deed alsof hij naar de overkant dobberde. Ik was bijna aan de beurt. Het meisje voor me dribbelde. Ik had geen idee welke vogel ze bedoelde. Nu moest ik. Een grote vliegende vogel, dacht ik. Niemand heeft nog een grote vliegende vogel nagedaan. Ik huppelde zo licht mogelijk naar voren. Mijn armen wapperden breeduit op en neer. Mijn wangen gloeiden en ik wist wat dat betekende. Ik bloosde verschrikkelijk.

Toen we op de uitslag moesten wachten kwam het struisvogelmeisje naast me zitten. Ze was klein en sprietig.

'Jij mag verder,' zei ze. 'Jij bent goed, joh.' Ze boog zich voorover en praatte zachtjes, vlak bij mijn oor. 'Die meiden daar niet,' zei ze. 'Die ene met die lange benen is veel te stijf.'

Het klonk onaardig en ik wilde weglopen, maar het struisvogelmeisje legde haar arm op die van mij.

'Ik hoorde haar praten in de kleedkamer. Ze zei dat ze dood zou gaan als ze werd afgewezen.'

Ik keek naar twee meisjes die op een bank zaten.

'Die ene is het,' zei het struisvogelmeisje. 'We gaan haar helpen met gedachtekracht. We moeten denken dat ze verder mag.'

Ik wilde niet meedoen. Ik wist niet of ik genoeg gedachtekracht had.

'Ze mag niet doodgaan,' zei het struisvogelmeisje. Ze deed haar ogen dicht om beter aan het meisje met de lange benen te kunnen denken.

Ik deed ook mijn ogen dicht, maar het lukte me niet om aan iets anders te denken dan aan mezelf.

'Tessa,' zei het struisvogelmeisje toen ze uitgedacht was. 'Zo heet ik, maar je mag ook Tes zeggen.'

'Ik ben Julia.' Ik zei niet dat ze ook Juul mocht zeggen.

Dezelfde vrouw die na de eerste auditie de uitslag had doorgegeven kwam binnen. Ze liep rond en deelde glimlachend enveloppen uit.

'Yes!' zei Tessa.

Het meisje met de lange benen begon gierend te huilen. Haar vader legde een arm om haar heen.

De vrouw met de enveloppen kwam naar me toe. 'Alsjeblieft,' zei ze.

Ik maakte de envelop open en mijn moeder en ik lazen samen de brief.

'Je bent weer een stap dichterbij,' zei mijn moeder en ze gaf me een zoen.

Het meisje met de lange benen liep tegen haar vader aan geleund naar buiten.

Na de auditie ging ik naar Hanna. Ze woonde een paar huizen verderop en ze was mijn beste vriendin.

'Word je nu een ballerina?' vroeg ze.

'Dat weet ik nog niet.'

'Wanneer dan wel?'

Ik wist niet wanneer ik het wel zou weten. Ik zou een cursus gaan volgen, dat was de volgende stap. En daarna zou ik misschien verder gaan. Misschien, want je wist nooit zeker of je verder móćht gaan.

'Het gaat stap voor stap,' legde ik uit.

'O,' zei Hanna.

Zij wilde later een manege beginnen met Arabische paarden. Maar nu zat ze nog op ponyrijles. Dat was net zoiets. Tussen ponyrijles en een eigen manege zaten een heleboel stappen. Hanna had een verzorgpony die Fred heette. Ze nam me een keer mee om naar hem te kijken. Fred was dik en hij had lange manen die voor zijn ogen hingen.

'Lief hè,' zei Hanna.

Ik aaide Fred. Hij had een zachte neus.

'Je mag op hem rijden,' zei Hanna. 'Dan houd ik de teugels vast.'

'Van paardrijden krijg je O-benen,' zei ik.

'Helemaal niet,' zei Hanna.

'Maar dat is niet erg,' zei ik. 'Alleen als je een ballerina wil worden, dan is het wel erg. Dan moet je kaarsrecht zijn, snap je?'

Ik wist niet of het klopte, dat van die kaarsrechte ballerina's, maar ik wist zeker dat paardrijden niet goed was. Zeker niet op zo'n kogelronde pony als Fred.

Bijna tien

'Kin omhoog!' riep Pamela. 'Ligt er soms een snoepje op de grond? Ben je geld aan het zoeken? Omhóóg!'

Ik stak mijn kin in de lucht en strekte mijn arm uit. In mijn vorige balletklas was ik een goede leerling geweest, maar hier was ik een beginneling. Pamela was streng. Ze gaf anders les dan mijn eerste balletjuf. Als ik ook maar iets verkeerd deed had ze het in de gaten. Ik wist niet dat ik zóveel verkeerd kon doen.

'Het hoort erbij,' zei Pamela. 'We zijn hier om te leren. En om te luisteren! Wat zei ik net: Kin op!'

Als Pamela commentaar gaf, werd ik rood of was ik als de dood dat ik rood zou worden.

De lessen van Pamela hoorden bij de auditiecursus. Nog steeds was ik niet aan de echte opleiding begonnen. Ik moest wachten tot ik naar groep zeven ging, dan pas zou ik naar de balletacademie mogen. Als ze me wilden hebben. De auditiecursus heette niet voor niets zo, hij zou worden afgesloten met een grote auditie.

'Niet zo angstig kijken,' zei Pamela. 'Het leven van dansers hangt aan elkaar van audities, wen er maar vast aan.'

'Minstens de helft valt af,' zei Tessa.

Zij keek nooit angstig. Toen Pamela onder de les aan háár vroeg of er soms een snoepje op de grond lag, zei ze zachtjes: 'Ja, maar ik raap het straks wel op.'

'Ik versta je niet,' zei Pamela, 'en dat is maar goed ook.'

Iedere woensdag en zaterdag reed mijn moeder me naar de stad. Op weg naar huis wilde ze weten hoe het gegaan was.

'Goed?' vroeg ze.

'Ja,' zei ik.

'Moe?'

'Ja.'

'Vandaag had je klassiek,' zei mijn moeder. 'Ja toch? Weet je zeker dat je het allemaal aankunt? Is die Pamela wel aardig?'

'Jahaaa.' Ik zat onderuitgezakt op de achterbank. Op de terugweg was ik altijd chagrijnig en veel te moe om met mijn moeder te praten. Op de heenweg was ik meestal te zenuwachtig om iets te zeggen.

'Je hoeft er niet mee door te gaan,' zei mijn moeder.

'Ik wíl ermee doorgaan,' zei ik. 'Dat weet je.'

'En wat had je nog meer?'

'Modern.'

'Aha,' zei mijn moeder.

Klassiek was het belangrijkste vak, vond ik. Dat leek het meest op echt ballet. Moderne dans vond ik moeilijker. Het werd gegeven door Josine, een dunne vrouw die de bewegingen voordeed en ons opdrachten gaf.

'Beweeg hóóg,' zei ze. En een volgende keer: 'Beweeg láág.' Of we kregen een lap en daar moesten we dan mee dansen. Ik hield mijn lap voor me als een sluier.

Het ergst vond ik de improvisatielessen. Het waren blooslessen, iedere keer opnieuw.

'Je sluipt door een oerwoud,' zei de lerares. Ze heette Romy en ze kwam uit Frankrijk. Ik probeerde sluipachtig te dansen, maar ik geloofde zelf geen seconde dat het iets met een oerwoud te maken had.

Alleen bij de folklorelessen kon ik me ontspannen. Dan stond er een rek met blauwe en groene rokjes klaar. Groene voor de grote meisjes en blauwe voor de kleinere. De jongens mochten laarzen aan.

Tessa hees haar blauwe rok op tot onder haar kin. 'Een babydoll!' riep ze.

Ik trok mijn groene rok als een muts over mijn hoofd.

We mochten tien minuten raar doen en daarna was het tijd om aan het werk te gaan. De pianist speelde Russische muziek en we dansten in het midden van de zaal. De jongens stampten met hun laarzen.

Halverwege de cursus moesten we medisch gekeurd worden. We stonden in een rij op de gang te wachten. In balletkleding en op blote voeten. De vloertegels waren ijskoud en ik ging afwisselend op mijn tenen en mijn hielen staan om mijn voetzolen van de grond te houden. Wie aan de beurt was moest een klein kamertje in. Soms ging de deur even dicht, maar meestal bleef hij op een kier staan. De meisjes die naar buiten kwamen zagen er vrolijk uit. Misschien hadden ze net te horen gekregen dat ze perfecte balletbenen hadden.

Ik kwam steeds dichterbij en ik werd nieuwsgierig. In het kamertje klonk een diepe mannenstem.

'Wat gaat hij precies doen?' vroeg ik aan Tessa.

'Kijken of alles normaal is.'

Het was haar beurt om naar binnen te gaan. Ze liet de deur een beetje open.

Ik probeerde het gesprek binnen te volgen, maar ik kon niet alles verstaan. Tessa kwam na een minuut of tien grijnzend naar buiten. Ze stak haar duim op: alles in orde.

Ik zat heel anders in elkaar dan Tessa. Alles aan mij was langer en sliertiger. Als zij in orde was, dan zou er met mij wel iets mis zijn.

'Deur open of dicht?' vroeg de fysiotherapeut toen ik over de drempel stapte.

Hij was groot en breed en hij had een kaal hoofd.

'Open,' zei ik.

'Kom verder.' Hij zat op de rand van zijn bureau. 'Ik ben Jozef...'

Hij zag er niet uit als een Jozef. Hij droeg een wit overhemd met opgerolde mouwen, een strakke gebleekte spijkerbroek en cowboylaarzen.

'En jij bent, laat me eens kijken... Julia. Waar heb je Romeo gelaten?'

'Wat?'

'Sorry, flauw grapje. Romeo en Julia, snap je. Ken je dat ballet?'

'Ja,' zei ik. 'De dans van de ridders.'

Het was een van mijn lievelingsscènes. De ridders dansen op het bal vlak voordat Romeo en Julia verliefd worden. Ik vroeg me af of Jozef ook kon dansen. Een grote kale ridder aan het hof van Romeo en Julia met cowboylaarzen aan zijn voeten.

'Ben ik grappig?' vroeg Jozef. 'Of kijk je uit jezelf zo vrolijk?'

'Sorry,' zei ik. Mijn gezicht werd warm.

'Appelwangen,' zei Jozef. 'Heel goed. Uitstekende bloedtoevoer naar het gezicht.'

Al pratend duwde hij me in de richting van de onderzoekstafel die in een hoek van het kamertje stond.

'Kun je gaan liggen?'

Ik ging voorzichtig zitten en liet me achterover zakken. Jozef legde zijn hand tussen mijn onderrug en de tafel.

'Is het goed?' vroeg ik. 'Ben ik normaal?'

'In orde.'

Ik moest mijn benen optrekken en Jozef boog ze naar buiten.

'Normaal?'

'Ruimschoots. Leg je benen maar weer recht.'

Hij probeerde of alles genoeg kon buigen en strekken. Mijn voeten, en mijn enkels. Zijn handen waren warm en zacht.

'En mijn knieën?' vroeg ik.

'Je hebt lastige knieschijven.'

'Is dat erg?'

'Iedere danser heeft wel iets,' zei Jozef. 'Je moet ermee leren werken.'

Voordat ik weg mocht, wilde hij me nog meten.

'Ben ik te lang?'

'Te bang?'

'Te lang,' herhaalde ik.

'Te bang,' zei Jozef, 'dat verstond ik. Raar hè?'

'Ja,' zei ik. 'Is alles normaal?'

Hij keek me aan. 'Als alles normaal was zou je hier niet zijn, Julia. Als alles normaal was zou je nooit verder zijn gekomen dan een balletklas in Beetsterzwaag, Tuitjehorn of weet ik veel waar jullie allemaal vandaan komen.' Hij wees naar de deur.

'Ik kom niet uit Beetsterzwaag,' zei ik voordat ik naar buiten ging.

Jozef lachte.

Op de gang legde ik mijn hand tegen mijn gezicht. Mijn wangen waren alweer afgekoeld. Jozef had me niet zo lang laten blozen.

'Die keuring zegt nog niets,' zei Tessa. 'Het gaat erom hoe je danst. En straks op de grote auditie gaan ze dáár op letten.'

Tegen de tijd dat het zover was had ze iedereen bang gemaakt.

De grote auditie was ook echt groot. In de jury zaten een stuk of tien mensen en we moesten bijna de hele dag blijven. In de pauze had iedereen wel iets te klagen.

Tessa was kwaad. 'Bij de jetés was de muziek veel te snel. Ik kon het niet bijhouden.'

Twee meisjes kregen ruzie omdat er één had voorgedrongen.

Ik zei niet veel. Ik wist dat het ergste nog moest komen: na de pauze zouden we een improvisatieopdracht krijgen.

'Jullie gaan appels plukken,' zei Pamela toen we weer in de zaal stonden.

Ik probeerde zo snel mogelijk iets te verzinnen. Maar het ging net als altijd: alles wat ik verzon werd al door iemand anders gedaan. Vlak voordat het mijn beurt was kreeg ik een geweldig idee: ik zou een ladder op klimmen. Ik wist precies hoe ik het zou gaan doen, kleine pasjes en dan naar boven reiken met mijn armen. Maar de twee meisjes voor me waren allebei al ladderklimsters. Ik had geen tijd meer om iets anders te verzinnen. Ik klom op een ladder, plukte appels, liet ze vallen, stopte ze in een mandje. Ik maakte er een zooitje van.

Aan het eind van de dag kreeg ik te horen dat ik door was. Tessa mocht ook verder.

'Yes!' riep ze. 'Yes, yes, yes!'

'Ja, nou weten we het wel,' zei een van de ladderklimsters.

Ik was net als Tessa heel blij, maar ik durfde het niet goed te laten merken. Er waren andere leerlingen afgewezen en er werd weer gehuild. Mijn moeder haalde een pakje papieren zakdoekjes uit haar tas. Ze gaf het aan een andere

moeder, die een meisje probeerde te troosten.
Op weg naar de auto moest ze ervan zuchten. ‘Ik vind het iedere keer zo naar. Zoveel verdriet.’

Geachte mevrouw Raaijmakers,

Op 10 april jl. hebben we een kort gesprek met u gehad naar aanleiding van het feit dat Julia per 1 september is toegelaten tot de Vooropleiding Theaterdans van de Balletacademie. Zoals afgesproken zetten we de punten die besproken zijn nog even op een rijtje.

Indruk auditiecursus

Klassiek:	Knieën strekken moeilijk. Pakt de gegeven lesstof goed op.
Modern:	Ze kan het wel, maar niet overtuigend.
Folklore:	Enthousiast. Twijfel.
Improvisatie:	Leuk.

Bevindingen fysiotherapeut

Heupen:	De uitdraaimogelijkheid is ruim voldoende (ruim 60 graden).
Voeten:	De wegstrekmogelijkheid is goed.
Rug:	De beweeglijkheid van de wervelkolom is goed, zonder opvallende asymmetrie.

CONCLUSIE: goed.

Algemene indruk auditiecommissie: aangenomen.

Opmerking: Julia heeft een goede auditie gedaan. Haar werk tijdens de hele auditiecursus was heel constant.

We wensen Julia een fijne en leerzame tijd op de Balletacademie / Vooropleiding Theaterdans.

Tien

Mijn buikspieren gloeiden. Brandnetels aan de binnenkant van mijn vel en ik was nog lang niet klaar met mijn sit-ups. Ik lag op mijn matje in de balletzaal en ik kon me niet voorstellen dat ik dit ooit had gewild. De halve les ging voorbij zonder dat we ook maar één pas dansten. Iedere dag moesten we eerst een eindeloze serie grondoefeningen afwerken.

Als ik 's middags thuiskwam was ik bekaf. Soms was ik zo moe dat ik zin had om meteen naar bed te gaan, zonder avondeten. Dat mocht niet van mijn moeder. Ik vond zelf dat ik best een maaltijd mocht overslaan. Ik werd alsmaar langer en als ik te lang werd zou ik moeten stoppen. Aan een ballerina die overal boven uitsteekt heeft niemand iets.

'Dan krijg je hormonen,' zei Tessa. 'Er was vorig jaar een meisje dat alleen mocht blijven als ze hormonen ging slikken.'

'Hoe weet je dat?' vroeg ik.

'Gehoord,' zei Tessa. 'Ze kreeg groeiremmers.'

Ik geloofde er niets van. Tessa was zó klein dat ze nooit verstand van groeiremmers kon hebben. Toch bleef het door mijn hoofd spoken.

Mijn moeder zette potloodstreepjes op de deurpost. Ieder jaar een streepje om te laten zien tot hoe hoog we kwamen. Rode streepjes voor Inez, blauwe voor mij en groene voor Lisa. Ik vond één streepje per jaar te weinig. Iedere week vroeg ik aan mijn moeder of ze wilde kijken hoeveel ik was gegroeid.

'Nee hoor,' zei ze. 'Iedere week is onzin.'

Ik kreeg haar zover dat ze iedere maand een streepje zette en bijna iedere maand zat het streepje iets hoger.

'Zie je wel,' zei ik. 'Ik word veel te lang.'

'Een millimeter,' zei mijn moeder. 'Nog niet eens. Waar hebben we het over.'

'Als je danst lijk je langer omdat je mooi rechtop leert lopen,' zei mijn vader.

Mijn moeder bracht me niet meer naar de stad. Ik ging er nu iedere dag heen en zij moest werken. Ze had iets afgesproken met de moeder van Francisca, een meisje uit mijn klas. Zo kreeg ik treinbegeleiding: de moeder van Francisca werkte in buurt en reisde iedere dag met ons op en neer.

Ik ging niet langer naar mijn oude basisschool. In het gebouw waar de balletlessen werden gegeven zat ook een speciale school voor balletkinderen. Daar leerden we alle gewone dingen, zoals rekenen en taal. Als het dansen mislukte moest je nog iets anders kunnen worden.

Het eerste gedeelte van de opleiding zou zeven jaar duren. Eerst dansles samen met de lessen die bij groep zeven en acht hoorden. Daarna dansles samen met de middelbare school. Dat was alleen nog maar de vóóropleiding. Daarna moest je verder. En meteen vanaf het begin vielen er leerlingen af omdat ze niet goed genoeg waren.

Al zaten we iedere dag samen in de trein, Francisca en ik werden geen vriendinnen.

Francisca's moeder hoopte dat het er nog van zou komen. 'Twéé balletmeisjes!' zei ze. 'En allebei even mooi.'

Ik had net afscheid genomen van mijn oude klas en ik had geen zin in Francisca.

'Jullie kunnen vast heel goed met elkaar overweg!'

Francisca keek uit het raam van de trein. Ze had ook geen zin in mij.

Op school trok ik het meeste met Tessa op, maar die ging altijd haar eigen gang. Ze vond me aardig, dat kon ik merken, maar ze vond wel meer mensen aardig.

Thuis had ik Hanna. Op haar verjaardagsfeestje gaf ik haar een vriendinnenboekje met een foto van een paard op de kaft.

'Jíj moet er eerst in schrijven,' zei ze.

Ik vulde alles in.

Ook wat mijn hobby's waren: ballet.

Wat ik later wilde worden: ballerina.

Daarna mochten de andere kinderen erin schrijven.

Twee vriendinnen van Hanna schreven net als ik dat ze ballerina wilden worden. Ik kon zien dat het nooit zou lukken, maar ik zei niets.

Er was één meisje in mijn balletklas dat later beroemd zou worden, dat wist iedereen zeker. Alles aan haar was mooi, zelfs haar naam was voor ballet gemaakt: Margot.

'Moet je het niet met een k uitspreken?' vroeg ik haar. 'Markó?'

'Je zegt gewoon Margo.'

'Maar Markó is beter,' zei ik. 'Dat is Frans.'

'Jij mag Markó zeggen,' zei ze.

Ik probeerde het een paar dagen, maar als ik haar zo noemde en de anderen niet, klonk het aanstellerig.

Margot en ik gingen in de pauzes samen naar buiten.

'Ze vinden jou de beste van de klas,' zei Margot.

'Jij bent beter.'

Margot keek me aan. 'We moeten hard werken,' zei ze. 'Wíj moeten overblijven.'

Vanaf dat moment waren we vriendinnen.

Als er een schoolvoorstelling was kregen we meestal alle twee een belangrijke rol. In februari kwamen de ouders naar een les kijken en aan het slot van het schooljaar was er een grote einduitvoering.

'Ik heb een ster op de wereld gezet,' grapte mijn vader.

Vlak voor de zomervakantie hoorden we dat er iemand van Het Nationale Ballet naar ons zou komen kijken. We wisten allemaal waar het om ging: ze waren op zoek naar Clara, het meisje dat in De Notenkraker de muizenkoning verslaat. Clara krijgt de notenkraker cadeau voordat hij in een prins verandert. Iedere kerst was er een uitvoering en iedere kerst hadden ze een nieuwe Clara nodig.

'Wie wordt het?'

Er werd over niets anders gepraat.

'Is er al een Clara?'

'De Clara moet uit de tweede komen.'

'Ze kijken gewoon wie het beste is.'

'Maar ze kijken ook in de tweede en de tweede is altijd beter.'

'Er komt nooit een Clara uit de eerste klas.'

'Twee jaar geleden...'

'Kunnen we met de les beginnen?' zei Pamela.

De Notenkraker was geen schoolvoorstelling. Als je de Clara werd mocht je in Het Muziektheater optreden, samen met volwassen dansers. Ik dacht aan Inez. Hop, hop, hop, dit is de kindergalop. Ik wist nog goed hoe we door de kamer hadden gedanst. Inez had gezegd dat ze later met het echte ballet mee wilde doen. Nu kreeg ík de kans.

Toen de mensen van Het Nationale Ballet kwamen kijken danste ik goed. Ik danste voor mij en Inez samen. Het ging gemakkelijker dan anders. Mijn lichaam deed wat ik wilde, alsof het doorhad hoe belangrijk het was om gezien te worden.

Elf

Pamela stond in het midden van de zaal. Het was de eerste les na de zomer.

'Jullie hebben lang moeten wachten,' zei ze, 'maar nu is het rond.' Ze liet een stilte vallen om de spanning op te rekken. 'Dit jaar is het wel heel bijzonder.' Weer een stilte.

'Vertel nou,' zei een meisje.

Pamela keek van de ene leerling naar de andere, haar blik bleef even op mij rusten. 'De Clara komt uit deze klas,' zei ze.

Het leek alsof er iets uit elkaar spatte. Iedereen begon door elkaar te praten, een paar meisjes begonnen zenuwachtig op en neer te springen en in hun handen te klappen.

Ik rilde. De haartjes op mijn arm stonden rechtop. De Clara, ik was de Clara, ik wist dat ik goed had gedanst en nu was ik uitgekozen.

'Het is Margot,' zei Pamela.

Margot stond stil naar Pamela te kijken, haar mond hing een beetje open.

'Hallo?' zei Pamela. 'Ben je er nog, Margot, of moeten we je reanimeren?'

Margot deed haar mond dicht en begon te glimlachen.

'Het is bijzonder,' zei Pamela, 'dat je nu al zo'n rol mag dansen.' Ze keek ons weer een voor een aan. 'Ik weet dat sommige van jullie teleurgesteld zijn, maar ook dat hoort erbij als je danst.'

Ze keek alweer extra lang naar mij en nu snapte ik

waarom. Ze had door dat ik me blij had gemaakt om niets.

'Julia,' zei Pamela. 'Kin omhoog. Niet inzakken.'

Ik maakte mijn rug lang.

Pamela ging verder. 'Er zijn drie Clara's: Margot en twee meisjes uit een hogere klas. En dan is er nog een extra Clara uitgekozen die, en dat is werkelijk heel bijzonder, óók uit onze...' Ze wachtte even.

'Dat ben jij natuurlijk,' zei Tessa tegen mij.

'Julia,' zei Pamela. 'Julia, jij bent de reserve-Clara en dat betekent dat je aan de repetities mee gaat doen.'

'Zie je wel?' zei Tessa.

'Mooi resultaat,' zei Pamela. 'Heel mooi.'

Margot kwam naast me staan. Ze legde haar arm om me heen en leunde tegen me aan.

'Ik ben zo blij,' zei ze. 'Jij ook?'

Ik snapte dat ik blij hoorde te zijn. 'Ja,' zei ik, 'maar ik weet niet of ik nou wel of niet Clara mag dansen.'

'Als er iemand ziek is moet je invallen, ik denk dat ze dat bedoelen.'

'Er zijn drie Clara's. Moeten die dan allemaal tegelijk ziek zijn?'

'Ik denk het wel.' Margot keek een beetje bedrukt, alsof ze nu meteen griep wilde krijgen om mij een kans te geven. 'Misschien is één zieke Clara al genoeg.'

'En dan de andere rollen,' zei Pamela. 'De lijsten hangen op de gang.'

Iedereen stormde de zaal uit.

In De Notenkraker konden een hoop leerlingen meedansen. Het verhaal begon met een sinterklaasfeest en dan stond het hele toneel bijna vol dansers die de gasten moesten uitbeelden, en natuurlijk hoorden daar kinderen bij. Later was er een gevecht tussen muizen en soldaten en daar deden dezelfde kinderen aan mee.

Er was een lijst met de eerste cast. Wie daar op stond mocht in de beste voorstellingen dansen. Op een andere lijst stond de tweede cast. Er waren jongens- en meisjesrollen. De jongens waren gasten op het feest en soldaten en de meisjes gasten op het feest en muizen. Een paar meisjes moesten als soldaat meedoen.

'Omdat er te weinig jongens zijn,' zei Pamela.

'Ik vind het zielig,' zei Margot.

Het zieligste waren de meisjes die bij de tweede cast waren ingedeeld als soldaten.

'Ik doe het niet!' riep een tweede cast soldatenmeisje. 'Ik doe het echt niet!'

'Het gaat om het meedoen,' zei Margot.

Het meisje keek haar kwaad aan. 'Clara,' zei ze, alsof het een scheldwoord was. 'Jij bent de Clara en ik begrijp niet waar je je verder mee bemoeit.'

Ik zei niets. Ik zocht de lijsten af tot ik mijn naam gevonden had. Ik was ingedeeld bij de eerste cast als meisje op het feest, muis én ik was reserve-Clara.

Elf

Er kwam een vrouw met twee koffers vol spitzen langs. We moesten allemaal net zolang passen tot we een goed paar hadden gevonden.

'Je hebt hoge wreven,' zei ik tegen Margot. 'Die van mij zijn te laag.'

'Maar jij hebt sterke voeten,' zei Margot, 'dat is beter.'

We stonden om de koffers heen. Alle spitzen zagen er hetzelfde uit. Ze waren van roze satijn en er zaten nog geen linten aan. Ik hield het paar dat ik gevonden had goed vast.

'Altijd weer een bijzonder moment,' zei de vrouw.

Het liefst wilde ik mijn spitzen meteen aantrekken, maar Pamela had ons gewaarschuwd. Niemand mocht op eigen houtje beginnen. Dat was levensgevaarlijk. Ze liet ons eerst zien hoe we de spitzen moesten voorbereiden. Ze pakte een naald en een roze katoenen draad.

Ze stak haar hand naar me uit. 'Julia?'

Ik gaf haar een van mijn spitzen. Pamela maakte met de katoenen draad een kruissteekje op de punt en daar kwam weer een kruissteekje naast en zo ging ze verder. 'In het rond,' zei ze, 'als een slakkenhuis. Zo verstevig je de stof en heb je meer grip als je op je tenen staat. Duidelijk?'

We waren er stil van. Margot hield haar spitzen tegen haar wang.

'Jullie krijgen twee dagen de tijd om het af te maken,' zei Pamela.

'En vergeet de linten niet,' zei de vrouw met de koffers.

Pamela wees de plaats aan waar de linten moesten

komen. 'Met kleine steekjes vastzetten. We willen graag dat jullie er netjes uitzien.'

We zagen er altijd netjes uit. We droegen de voorgeschreven balletpakjes. Lichtblauw in de eerste en tweede klas en donkerblauw in de derde. In de eerste twee klassen mochten we geen onderbroek onder onze balletpakjes aan. Ze moesten goed kunnen zien hoe we bewogen. Ik voelde me bloot. Sommige meisjes droegen stiekem een string. Ik durfde niet aan mijn moeder te vragen of ze er een voor me wilde kopen. Op een dag, toen we in de stad liepen, begon ik er toch over. Heel voorzichtig.

'Je bent nog zo jong,' zei mijn moeder. 'Ik vind een string eigenlijk iets te... iets te...'

'Sexy?' zei ik.

Mijn moeder knikte.

'Maar bloot in een balletpakje is erger,' zei ik.

Ze was het met me eens.

Thuis probeerde ik mijn spitzen af te maken. Ik had roze katoen gekocht en aan mijn moeder een naald gevraagd. Ik was blij dat Pamela mijn spitzen had gebruikt om voor te doen hoe het moest. Zo had ik al een beginnetje. Maar mijn kruissteekjes zagen er heel anders uit dan die van haar. Trekkerig en scheef. De naald maakte lelijke gaatjes in het satijn. Ik prikte in mijn vinger en morste een druppel bloed, een rode veeg bleef op een van de linten achter.

Twee dagen later was ik klaar. De spitzen zagen er gehavend uit.

'Als je er maar op kunt dansen,' zei Inez.

Maar ik mocht er nog helemaal niet op dansen. De eerste keer moesten we de spitzen al na tien minuten uittrekken.

We hadden een paar eenvoudige oefeningen aan de barre gedaan, dat was alles. De spitzen maakten me langer, nog langer dan ik al was. Maar ik voelde me ook een echte ballerina als ik op mijn tenen stond.

'Het moet wennen,' zei Pamela. 'Het duurt een tijdje voordat je ermee kunt werken. We breiden het langzaam uit tot een spitzenles van een halfuur.'

'Een halfuur?' zei Margot.

'Dat halve uur zal je moeite kosten,' zei Pamela. 'Je voeten zijn nog kwetsbaar en je spitzen zijn stug.'

'Ze zeggen dat je ze moet weken,' zei Tessa. 'Om ze zacht te maken.'

'Je moet er met een hamer op slaan,' zei een ander meisje.

'Praatjes,' zei Pamela. 'Niet naar luisteren. Er zijn maar een paar tips en de rest is echt flauwekul.'

'Wat voor tips?' vroeg Tessa.

'Wat soms wil helpen is met spitzen aan gaan slapen. Je moet ze eerst natmaken en er daarna mee in bed gaan liggen. Dan drogen ze langzaam en gaan ze naar je voeten staan.' Pamela keek opeens betrapt alsof ze ons iets had verteld wat eigenlijk geheim had moeten blijven.

Ik ging het meteen uitproberen. Het leek me beter om het niet aan mijn moeder te vertellen, ik wist zeker dat ze het geen goed idee zou vinden. Ze vond dat de hele dag alles al om ballet draaide en als de nacht er nog bij kwam zou ze gaan tegensputteren. Ik trok mijn slaap T-shirt aan en vlak voordat ik in bed stapte sloop ik naar de badkamer om mijn spitzen nat te maken. Ze mochten niet gaan druipen, dus depte ik ze met een natte washand tot ze er nat genoeg uitzagen. Op mijn kamer trok ik ze liggend op bed aan. De linten sloeg ik losjes om mijn enkels. Ik trok het dekbed over me heen en deed mijn best om snel in slaap te vallen. Morgen zou ik wakker worden met spitzen die me precies pasten, alsof ze voor mijn voeten waren gemaakt.

Lang voordat de ochtend begon werd ik wakker. De spitzen schuurden. Ze waren niet van plan zich aan mijn voeten aan te passen maar hadden in plaats daarvan precies het tegenovergestelde gedaan: mijn voeten waren bijgevijld. De bovenrandjes van de spitzen hadden venijnige rode strepen in mijn vel getrokken en ik voelde dat mijn tenen in de schoentjes tegen elkaar aan waren gekropen. Het deed pijn en het bleef pijn doen, zelfs toen ik mijn gewone gympen had aangetrokken.

'Wat loop je raar?' zei mijn moeder toen ik beneden kwam.

'Een beetje last van mijn spieren,' zei ik. 'Omdat we nu op spitzen oefenen.'

'Ga maar zitten,' zei ze.

Mijn moeder hielp me nog steeds met mijn knot, al kon ik het nu ook zelf. Een paar meisjes staken op school pas hun haar op, maar ik vond het fijn om er in de trein alvast als een balletmeisje uit te zien. Met een strakke knot en een enorme tas kon het niet missen. Een ballerina op weg naar de balletacademie.

De hele les voelde ik mijn voeten schrijnen. We kregen eerst klassiek, daarna tien minuten spitzenles en daarna nog moderne dans. Ik was blij dat ik toen naar huis mocht.

'Nog steeds spierpijn?' vroeg mijn moeder.

'Het is bijna over,' zei ik.

'Op spitzen lijken jullie vast op duiveltjes,' zei mijn moeder. 'Van die duiveltjes met bokkenpoten.'

Ik wilde boos worden, maar eigenlijk had ze wel gelijk. Spitzen leken op hoefjes.

‘Maar als je er echt op kunt dansen is het mooi,’ zei mijn moeder. ‘Als je kunt ronddraaien.’

‘Tour fouetté,’ zei ik.

‘Geen pirouette?’

‘Tour piqué.’

Ze gaf me een handje komkommerschijfjes. ‘Stop die maar in je mond,’ zei ze. ‘Voordat er nog meer rare woorden uit komen.’

Elf

Af en toe liep ik langs het kamertje van Jozef om een praatje te maken. Dat was langzaam zo gegroeid. Er waren er meer die dat deden. Soms zaten we met een paar meiden tegelijk op de onderzoekstafel te kletsen.

Jozef hield zijn handen tegen zijn oren. 'Dat gekwetter!' riep hij. Maar we wisten allemaal dat hij het leuk vond als we kwamen.

Eén keer per maand zag het kamertje er heel anders uit. Dan zat de vrouw van de vetmeting op ons te wachten.

Ze gebruikte een speciale weegschaal die niet alleen je gewicht registreerde, maar ook je vetpercentage. De uitslag was af te lezen op een schermpje dat op het bureau stond. Er lag een papiertje overheen. Niemand mocht zien hoeveel een ander woog. De vrouw van de vetmeting gaf je een bonnetje waar het weegresultaat op stond. Als je het gelezen had moest je het teruggeven.

Ik had altijd een laag vetpercentage. Op een dag was het nul.

'Geen vet!' zei ik.

'Natuurlijk wel,' zei de vrouw.

Ze pakte een tang in haar ene hand en pakte met de duim en wijsvinger van haar andere hand het vel van mijn bovenarm vast. Ze mat met de tang hoe dik de huidplooi was. Daarna deed ze hetzelfde net onder mijn schouderblad. Ze schreef de uitslag op een briefje. Ik had vet, maar het was zo weinig dat de sensoren van de weegschaal het niet konden meten.

Op de gang vroegen we naar elkaars gewicht. Dat had weinig zin, want alleen meisjes die tevreden waren wilden antwoord geven.

Het kostte me geen moeite om dun te blijven. Alles wat ik at gebruikte mijn lichaam om in de lengte te groeien. In een opschrijfboekje hield ik het bij: hoe lang, hoeveel vet, hoe zwaar. Drie rijtjes. Ik werd in het begin alleen maar langer. Pas na een tijdje begon ik ook dikker te worden. Er mocht best wat bij van mijn moeder, ik moest goed eten, zei ze.

Ik had bijna geen tijd om goed te eten. Naast de gewone lessen op school kreeg ik dansles en daarna moest ik repeteren voor De Notenkraker. En omdat ik drie verschillende rollen moest dansen moest ik váák repeteren.

We oefenden op school in twee groepen: de eerste en de tweede cast. Er kwam een vrouw die De Notenkraker uit haar hoofd kende. Ze was best oud, maar we mochten 'je' zeggen en 'Ella'. Eerst liet ze ons een video zien: zo moest het worden. Een rij jongens en een rij meisjes die samen dansten. Het zag er niet moeilijk uit, maar toen we het zelf moesten proberen viel het tegen. Er was een serie chassés, kleine sprongetjes die Inez vroeger de kindergalop had genoemd. De helft van de klas begon met het verkeerde been en er klopte na een paar passen niets meer van.

In De Notenkraker draaide alles om het kerstfeest, maar speciaal voor de Nederlandse uitvoering hadden ze daar een sinterklaasavond van gemaakt. We dansten op het feest en Sinterklaas deelde pakjes uit. We oefenden om en om, de ene dag het sinterklaasfeest, en de andere dag de muizen- en soldatenrollen. Als muis moest je klein bewegen en snelle trippelpasjes maken.

'Sneller!' riep Ella. 'Veel sneller!'

Maar ik kon niet sneller. De spieren in mijn benen

wilden niet meer. Het deed pijn.

Iedere donderdag oefenden we met de Clara's. Het moeilijkste was de scène met de notenkraker. Het is een houten pop en Clara wil hem leren dansen. Er is verder niemand op het toneel dus het is een solo.

'Je moet verliefd kijken,' zei Ella.

Ik wist helemaal niet hoe ik verliefd moest kijken. Ik kon alleen maar denken aan dat grote toneel waar Clara straks alleen op moest staan. Sommige dansers krijgen nooit de kans om een echte solo te dansen en als ik mee mocht doen, zou ik... maar ik mocht alleen meedoen als er een Clara uit zou vallen en geen enkele Clara zag er ziek of bijna ziek uit.

'Luister je wel?' vroeg Ella. 'Je bent verliefd, de notenkraker is een betoverde prins.'

De houten pop leek niet op een prins en het lukte me niet om verliefd te kijken. Mijn wangen werden nog roder dan anders.

In de pauzes tussen de lessen liep ik langs het kamertje van Jozef. Ik wachtte tot hij alleen was en ging naar binnen. De deur deed ik achter me dicht.

'Hallo,' zei ik.

Jozef zat achter zijn bureau. 'Pijn, hartzeer of gewoon een praatje?' vroeg hij zonder op te kijken.

'Het wil niet,' zei ik.

Jozef schoof zijn stoel een stukje naar achter. 'Wat niet?'

'Hoe ik moet kijken,' zei ik. 'Wat ik moet doen.'

Het was even stil.

'Misschien kun je iets duidelijker zijn?' vroeg Jozef.

Ik vertelde hem over De Notenkraker en over de solo en over de muizenpassen die veel te snel moesten.

Jozef luisterde en knikte en toen ik klaar was met

vertellen hoopte ik dat hij iets aardigs of grappigs zou zeggen, maar in plaats daarvan stelde hij een vraag:

'Vind je het eigenlijk wel leuk?'

'Natuurlijk.'

'Echt leuk?'

'Ja.'

'Omdat?'

Ik ging op de onderzoekstafel zitten. 'Omdat het bijzonder is. We dansen in Het Muziektheater en iedereen komt naar ons kijken.'

'En als niemand kijkt?' vroeg Jozef.

'Hoe bedoel je als niemand kijkt?'

'Als niemand kijkt,' zei Jozef, 'is het dan nog leuk?'

'Maar De Notenkraker is om naar te kijken!'

'We hebben het over dansen,' zei Jozef.

Ik begreep niet waar hij heen wilde.

'Je moet het willen. Voor jezelf.'

'Maar ik wil het ook voor mezelf!'

'Dat hoop ik,' zei Jozef. 'Stel je voor: je komt terecht op een onbewoond eiland. Zou je dan nog dansen? Gewoon voor de lol?'

'Ja hoor.' Het was een kinderachtig voorbeeld. Een onbewoond eiland had niets met De Notenkraker te maken. Ik stond op en liep naar de deur.

'Wacht even,' zei Jozef.

Ik bleef met mijn hand op de deurkruk staan.

'Let op,' zei Jozef. 'Een lesje verliefd kijken.' Hij ging staan en boog naar voren, precies zoals Clara het moest doen. Hij strekte zijn armen uit naar een denkbeeldige pop en liet zijn mond een beetje openvallen. Zijn ogen loensten. 'Verliefd genoeg?'

Ik dacht aan Ella. Ik kon me niet voorstellen dat ze tevreden zou zijn als ik zó keek.

'Bedankt,' zei ik.
De volgende repetitie ging iets beter.
'Het begint erop te lijken,' zei Ella.

Er waren niet alleen dansrepetities, maar ook verkleedrepetities. Er was een spoedverkleding die we snel moesten kunnen uitvoeren. Ik zou van een feestmeisje in een muis veranderen en daar was maar weinig tijd voor. Er waren mensen om ons te helpen, maar we moesten zelf ook weten hoe we zo snel mogelijk van kostuum konden wisselen. Een muis kreeg een broek met een staart aan, een jas, handschoenen met nagels en een masker. En een muis kreeg het warm, vooral als hij moest dansen.

Vlak voor de eerste voorstelling repeteerden we in Het Muziektheater. In de oefenzaal zagen we de andere dansers. We kenden sommigen van naam, omdat we ze hadden zien dansen in het theater, maar nu waren ze opeens vlakbij. Ze stonden met elkaar te praten. Een paar waren stretchoefeningen aan het doen.

We stonden op een kluitje te wachten. Het zag er kleuterachtig uit, dat wist ik zeker. Maar ik was blij dat ik niet in mijn eentje was, ik durfde nauwelijks door de zaal te lopen in mijn blauwe balletpakje. De dansers droegen uitgezakte trainingsbroeken en maillots met gaten. Ze hadden vestjes aan of hadden gewoon een lap om hun schouders geslagen.

Er lagen spullen klaar die bij de voorstelling gebruikt zouden worden: de staf van Sinterklaas en het grote boek.

'Is dat het echte boek van Sinterklaas?' vroeg Margot.

'Natuurlijk niet,' zei ik. 'Sinterklaas bestaat niet.'

'Dat weet ik ook wel. Ik bedoel het boek van de nep-Sinterklaas.'

'Die met de boot komt?'
'Ja die. Het ziet er zo echt uit, dat boek, alsof het speciaal gemaakt is voor Sinterklaas.'
Margot sloeg het boek open en klapte het meteen weer dicht.
'Getver!' zei ze.
'Staat erin dat je geen cadeautjes krijgt?'
Margot vond het geen leuk grapje. Ze schudde haar hoofd.
Ik opende het boek op een willekeurige plaats. Het was een telefoonboek, maar de bladzijden waren hobbelig en ik kon voelen dat er verderop iets was ingeplakt. Ik bladerde verder tot ik het gevonden had. Halverwege veranderde het telefoonboek in een fotoboek. Mannen. Blote mannen. De ene foto na de andere. Margot wees naar een stijve piemel.
'Dit is dus niet echt het boek van Sinterklaas,' zei ik.
'Wie doet zoiets?'
'Het is een test,' zei ik. 'Op het toneel moet je altijd in je rol blijven, ook al zie je opeens blote mannen.'
'Het is geen test,' zei Margot. 'Het is een grap.'
Ik keek naar de dansers. Ze bewogen snel en soepel en alles zag er vanzelfsprekend en gemakkelijk uit. De hele ruimte was van hen. Ze durfden alles, zelfs blote foto's in het boek van Sinterklaas plakken.

Elf

Ik kwam Hanna op straat tegen.

'Je hebt nooit tijd,' zei ze.

'Ik kan er niets aan doen.'

'Dat snap ik ook wel,' zei ze, 'maar zo kunnen we geen vriendinnen blijven.'

'Dan niet.' Ik was te moe om er iets anders over te zeggen. Ik draaide me om en liep weg.

Meestal belden Hanna en ik elkaar een paar keer per week, maar nu spraken we elkaar vijf dagen niet. De zesde dag ging ik naar haar huis. Ik was net terug van een muizenrepetitie en het was al laat. Ik zag door het raam dat ze bij Hanna al aan tafel zaten, maar ik had mezelf net zover opgepept dat ik aan durfde te bellen. Ik had niet genoeg energie over om het later nog eens te proberen.

Hanna kwam aan de deur. 'We zijn aan het eten,' zei ze.

'Sorry,' zei ik.

'Het geeft niet.'

'Ben je boos?'

'Nee,' zei Hanna. 'Jij?'

'Ik ook niet.'

'Zijn we vriendinnen?'

'Ja,' zei ik.

We moesten allebei tegelijk lachen.

'Ik moet vaak dansen,' zei ik. 'En 's avonds ben ik moe.'

'Maar ik wil af en toe iets leuks doen,' zei Hanna.

'Ik ga een keer mee naar Fred. Op zaterdag of zondag.'

'Ik ben te groot voor Fred,' zei Hanna. 'Ik kan misschien

een andere pony krijgen, maar ik weet niet of ik dat wil.'

'Laat haar even binnenkomen!' riep Hanna's vader.

Hanna trok me het halletje binnen en deed de deur dicht. Ze nam me mee naar de kamer.

'Ha Juul,' zei Hanna's moeder. 'Kom er even bij zitten. Je bent net op tijd voor het toetje.'

Ze pakte een extra kommetje uit de kast. Op tafel stond een pak vla klaar. *Romige duo dessertvla choco-vanille*, las ik. *Met knisperbolletjes*. Ik wilde zeggen dat ze thuis op me wachtten met het eten en dat ik echt geen toetje hoefde.

Hanna keek me aan. 'Deze is het lekkerst,' zei ze. 'Die met aardbeien is goor, die nemen we nooit.'

'Een klein beetje,' zei ik tegen Hanna's moeder.

'Je traint zeker hard?' zei ze. 'Dan heb je af en toe iets extra's nodig.' Ze schonk mijn kommetje halfvol.

Ik at langzaam. Romige duo dessertvla zat vol vet. Ik dacht aan de weegschaal op school. Mijn gewicht was altijd keurig, maar misschien zouden ze kunnen zien dat ik vla had gegeten. Eén keer was niet erg. Eén keer moest kunnen. De knisperbolletjes knarsten tussen mijn tanden.

Elf

We hadden eindeloos gerepeteerd, maar toen ik de avond van de voorstelling op het toneel stond, was alles toch anders. De zaal zat vol, nog nooit hadden er zoveel mensen naar me gekeken.

Het orkest speelde en het toneel was een eiland in een zee van aandacht. De dansers, de muziek, het decor en het publiek, alles kwam samen. Ik was een klein stukje van een grote voorstelling en ik voelde hoe speciaal het was dat ik meedanste en erbij hoorde.

De feestscène was in volle gang. De dansers van Het Nationale Ballet deden alsof ze niet op hoefden te letten. Als ze dicht genoeg bij elkaar in de buurt kwamen, begonnen ze stiekem te praten. Ik was doodsbang dat de mensen voor in de zaal het, net als ik, konden horen. Het meeste was in het Engels dus echt verstaan kon ik het niet, maar het was duidelijk dat het grappen waren en sinds het boek van Sinterklaas wist ik van wat voor soort grappen dansers hielden.

Na de feestscène moesten we ons razendsnel verkleden, achter het toneel, want er was geen tijd om naar de kleedkamer te gaan. Ik worstelde me in de muizenkleren en ik was nog maar net klaar toen de volgende scène begon.

Er waren lijnen en punten op de toneelvloer gezet, zodat we wisten waar we moesten dansen. Het was belangrijk dat we precies op de goede plek begonnen omdat anders de formatie niet meer klopte en alles zou mislukken. Maar met het muizenmasker op mijn hoofd kon ik bijna niets zien. Mijn hoofdhuid deed pijn. Het muizenpak rook naar een ander kind en ook steeds meer naar mij, door de snelle trippelpassen begon ik te zweten.

Het was hard werken, niemand praatte nog stiekem met iemand anders.

In de pauze was ik bekaf. We zaten in de kleedkamer en ik werkte mijn make-up bij, ook al was dat helemaal niet nodig. Alles zat er nog op: pancake, rouge, wenkbrauwpotlood, eyeliner, oogschaduw, mascara en lipstick. Zelfs onder het muizenmasker was het niet uitgelopen.

Na de voorstelling stelde ik het afschminken zo lang mogelijk uit. Het liefst ging ik met al mijn make-up op in bed liggen. Maar mijn moeder kwam altijd nog even kijken of alles wel in orde was. De muziek danste nog door mijn lijf, ik kon met geen mogelijkheid in slaap komen. *Tamtatatatamtam tatata.*

Ik danste twee keer per week een voorstelling. Twee keer per week keek een zaal vol mensen naar me. Er werd geen enkele Clara ziek, maar zelfs als feestmeisje en muis voelde ik me geweldig.

Samen met Margot ging ik op spitzenjacht. Je moest met z'n tweeën gaan, dat was het beste. Margot durfde meer dan ik, misschien omdat ze een Clara was. Ze klopte op de deur van de kleedkamer. Een van de ballerina's deed open.

'Is Igone de Jongh er ook?'

De ballerina deed de deur weer dicht en even later kwam Igone naar buiten. Ze was de mooiste en beste danseres die ik kende.

'We willen zo graag spitzen,' zei Margot. 'Met een handtekening.'

'Allebei?' vroeg Igone.

'Ja,' zei Margot. 'Gráág.'

Ik zei niets. Ik keek achterom. Straks zouden de anderen ook komen, iedereen wilde spitzen, en als het even kon die van Igone. De meeste ballerina's versleten iedere voorstelling één paar, maar ze bewaarden ze natuurlijk niet eindeloos. Igone ging naar binnen om spitzen te halen. Haar handtekening stond er al op, alsof ze ons verwacht had.

'Dankjewel,' zei Margot.

'Dankjewel,' zei ik. De rouge van de voorstelling zat nog op mijn wangen, een blos die mijn eigen blos verborgen hield.

'Dat gaan wij later ook doen,' zei Margot toen we terugliepen.

'Ik heb nog geen handtekening,' zei ik.

'Gewoon je naam en dan met een krul op het eind.' Margot tekende haar naam in de lucht. Haar hand ging snel op en neer en ze eindigde met een krul die zo groot was dat haar hele arm mee moest doen.

Twaalf

Ik moest wennen aan de middelbare school. Het was geen speciale school voor leerlingen van de balletacademie. Er zaten ook showdansers op, die van een andere dansopleiding kwamen en heel veel gewone leerlingen, die helemaal niets met dansen te maken hadden.

De showdansers vielen het meeste op. Ze zagen er steeds anders uit. Van de ene dag op de andere droegen ze hun T-shirts binnenstebuiten. Het leek alsof ze geheime kledingvergaderingen hielden. De jongens knoopten boerenzakdoeken als een zweetband om hun hoofd. De meisjes deden het anders. Zij knoopten een zakdoek om hun bovenbeen, over de pijp van een gescheurde spijkerbroek.

In de pauzes hingen de showdansers in de gangen rond en als we langsliepen, kregen we commentaar.

'Bráááf,' zei een jongen in een geruite afzakbroek tegen Margot. 'Bráááf vestje heb je aan.'

We waren niet langer balletmeisjes onder elkaar. Misschien een beetje nog, want we vormden een groepje apart. Het was niet het meest spetterende groepje, dat hadden we snel in de gaten. Het balletgefrutsel leek opeens kinderachtig. Een voor een kwamen we met losse haren naar school. Of met een paardenstaart. Alles was goed als het maar geen knotje was. Dat draaiden we pas vlak voor de danslessen in. Eén meisje bleef de hele dag met opgestoken haar rondlopen. Misschien was zij in de ogen van de showdansers nog het minst braaf, omdat ze zich niet van de wijs liet brengen.

De jongen met de afzakbroek had altijd commentaar.

'Hij moet wat van je,' zei ik tegen Margot.

'Of van jou.'

'Hij is best mooi,' zei ik.

Er hingen de hele tijd showdansmeiden om hem heen en hij barstte bijna uit elkaar van het zelfvertrouwen. Ik kon me niet voorstellen dat hij echt iets van Margot wilde of van mij of van wat voor balletmeisje dan ook. Tegen showdansmeiden konden we niet op. Die waren zoveel stoerder.

De gewone leerlingen mochten na de lessen naar huis. De showdansers vertrokken naar hun eigen dansopleiding en wij namen de tram naar de balletzaal van onze vorige school. Het waren lange dagen. Ik volgde alle normale brugklaslessen en daarna tot het eind van de middag de balletvakken. Als ik thuiskwam was het etenstijd.

Op een keer waren Margot en ik onderweg naar de balletzaal.

'Ik ga stoppen,' zei Margot.

'Ik ook,' zei ik. Het was de laatste dag van de week en ik zag tegen de balletlessen op. Ik had haast geen energie meer over.

'Serieus. Ik wil niet meer. Ik wil naar huis.'

Ik wist niet goed welk huis ze bedoelde. Omdat haar ouders te ver weg woonden, logeerde ze doordeweeks in een gastgezin.

'Helemaal naar huis?'

'Ik ga stoppen, zeg ik toch?'

Ik geloofde niet dat ze het meende. Ik wist zeker dat het maar voor even was. We wilden allemaal wel eens stoppen, we hadden allemaal wel eens een inzinking.

De tram ging krakend en knerpend door een bocht.
'Stoppen,' zei Margot. 'Gewoon helemaal stoppen.'
Het was niet voor even. Het was echt.
'Maar waarom dan?' vroeg ik.
'Daarom,' zei Margot. 'Ik wil niet alsmaar dit.'
'Wat?'
'Dít!' zei Margot. 'Dat ik nu nog moet dansen en daarna niet eens naar mijn eigen huis kan en dan morgen weer precies hetzelfde. En het is nooit goed genoeg. Ik krijg alleen maar te horen dat het niet goed genoeg is.'
'Dat komt omdat je juist wel goed bent,' zei ik. 'Je bent de beste van de klas. Ze letten extra op je.'
'Ik heb mijn ouders al gebeld,' zei Margot. 'En ze snapten het. Niet meteen, maar wel toen ik het uitlegde.'
'Je mag niet stoppen,' zei ik. 'Je moet volhouden.'
Margot snikte.
'Niet huilen,' zei ik, maar het was te laat. Er liepen tranen over haar wangen en daar moest ik van huilen.
'Ik vind het zo erg,' zei ik.
'Ik ook,' zei Margot.
'Doe het dan niet!'
Ze haalde haar schouders op.
We zaten samen in de tram te snotteren. Een paar mensen keken om.
'Het is niet echt waar,' zei ik.
'Het is wel echt waar,' zei Margot.
Een week later was ze vertrokken.
'Waar is ze gebleven?' vroeg de jongen in de afzakbroek.
'Wat kan jou dat nou schelen.' Het klonk onaardiger dan de bedoeling was.
'Jezus,' zei de jongen. 'Sorry hoor.'
'Ze is ermee opgehouden,' zei ik snel.

'Jammer.'
'Ja,' zei ik. 'Jammer.'

In het begin belde ik Margot af en toe. Er was niet veel om over te praten want ze zei dat ze het liever niet over school wilde hebben. Na een tijdje deed ik geen moeite meer en zij ook niet. Soms miste ik haar. Ik was verbaasd dat iemand die zo goed was, met dansen kon ophouden. En er was iets wat ik niet wilde denken, maar toch dacht: nu was ík de beste van de klas.

Dertien

Er was iets mis met mijn armen.

Een van de meisjes had gezegd dat ze lelijk waren. Ik keek in de spiegel naar mijn schouders en naar de lijn van mijn bovenarmen. Ze waren niet zo lelijk als ik had verwacht. Het was meer dat ik niet wist wat ik ermee aan moest.

'Armen!' zei de lerares klassiek. 'Beweeg ze groot!'

Er werd veel op me gelet.

'Maak het ruim!'

Ik was bang dat ik er raar uitzag. Mijn armen waren kwetsbaar. Omdat ze minder strak in het gareel werden gehouden. Omdat ze iets moesten uitdrukken. Omdat ze sierlijk moesten bewegen en ik helemaal niet wist of ik dat wel kon.

Mijn voeten, die waren echt lelijk. Sinds ik spitzenles kreeg had ik blaren op mijn hielen en op mijn kleine tenen. Als een blaar openging bleef er een plek met losse velletjes over. Ik lakte mijn teennagels rood om de aandacht van de rest van mijn voeten af te leiden, maar de lak bladderde af.

Iedereen vond dat ik talent had, maar dat gevoel had ik zelf niet. Er was zoveel wat niet goed ging. Er waren dagen dat niets lukte.

Battement frappé. Ik moest mijn onderbeen licht en snel uitstrekken en weer intrekken. Een soort korte snelle schop waarbij ik met de bal van mijn voet over de grond moest schuiven.

'Niet zo slapjes. Meer pit, Julia!'

Mijn benen wilden niet. Ik wist wat ik moest doen, maar ik kreeg het niet voor elkaar. De boosheid zat niet alleen in mijn hoofd, maar ook in mijn been zelf. Een zeurende tinteling.

'Doe de vloer pijn! Je hoeft hem niet te aaien!'

Battement fondu. Nu moest ik mijn been langzaam strekken alsof het door een dikke brij werd afgeremd.

'Houd de weerstand vast, Julia! De hele beweging.'

De hele beweging, van het begin tot het eind.

'Bekken recht!'

Ik zuchtte.

'Strek!'

Veertien

Er kwam een meisje uit Den Haag in onze klas.

'Daar is ze afgewezen,' zei Tessa.

'Omdat ze er veel strenger zijn,' zei iemand anders.

We hadden geen zin in een nieuw meisje. Van de drieëntwintig leerlingen waar we ooit mee waren begonnen waren er nog twaalf over. De rest was opgehouden – vrijwillig of omdat het moest, dat maakte niet zoveel uit. Alleen wij waren er nog. En nu was er opeens iemand die in Den Haag niet verder mocht, maar bij ons wel.

Ze heette Kitty.

'Kutty,' zeiden we.

Maar daar hielden we mee op, want ze kon veel beter dansen dan we verwacht hadden. Ze trainde hard en op de een of andere manier durfde niemand na een tijdje nog iets onaardigs te zeggen. We vonden het zelfs belangrijk dat ze óns aardig ging vinden.

Kitty nam iedere dag een zakje Japanse mix mee naar school.

'Japanse mix is het beste,' zei ze. 'Meer hoef ik niet te eten, snap je?'

Ze was mager en gespierd. Ze had een smal gezicht met grote bruine ogen waarmee ze je recht aankeek.

Het duurde niet lang of iedereen nam Japanse mix mee naar school.

Ik maakte een eetschema. Ik hield bij wat ik binnenkreeg.

Ontbijt:	muesli met magere yoghurt en een appel
11 uur:	Japanse mix
Middageten:	twee broodjes met kipfilet
Tussendoor:	Japanse mix
Avondeten:	rijst of pasta met extra groente

'Eet je dat allemaal op?' vroeg Kitty.

Ik groeide nog steeds in de lengte, maar ik werd ook breder en zwaarder.

Mijn vader legde me steeds opnieuw uit dat spierweefsel zwaarder is dan vetweefsel, hoe meer spieren ik kreeg hoe zwaarder ik zou worden. Dat hadden ze me op school ook al verteld. Ik liet hem uitpraten zonder echt naar hem te luisteren.

'Je bent nog steeds zo dun als wat!' zei mijn moeder.

Ze had gelijk, ik was nog steeds dun, maar ik voelde dat mijn lichaam wilde uitdijen. Ik moest de hele tijd goed oppassen, als ik mezelf te veel liet gaan zou mijn vetpercentage omhoogschieten.

Op een middag kon ik me niet beheersen. Ik at een halve zak chips leeg en daarna voelde ik me zo rot dat ik naar de wc ging om mijn vinger in mijn keel te steken. Ik moest kokhalzen en mijn ogen begonnen te tranen. Ik stak nog een keer mijn vinger in mijn keel en nog een keer, tot de inhoud van mijn maag naar boven kwam. Mijn benen trilden en ik was misselijk.

Een paar weken lang snoepte ik helemaal niets. Maar toen mijn moeder jarig was, wilde ik geen nee tegen de chocoladetaart zeggen. Ik nam een stuk. Het kon geen kwaad als ik meteen daarna alles er weer uit zou gooien. Toen ik voor de wc-pot stond voelde ik me schuldig. Eten omdat je van plan bent over te gaan geven, dat ging te ver. Ik wist heel goed dat het verkeerd was. Toch stak ik mijn vinger in mijn keel. Chocoladetaart, erger kon bijna niet. Zoiets wilde ik niet binnenhouden. Ik probeerde zo min mogelijk geluid te maken, eerst luisterde ik of er niemand op de gang was. Ik stak mijn vinger in één keer diep in mijn keel, de taart kwam meteen naar boven.

Dit mocht ik niet meer doen. Ik maakte een afspraak met mezelf: overgeven met voorbedachten rade was verboden. Het mocht alleen als ik per ongeluk te veel gegeten had. Het moest een noodmaatregel blijven.

De danslessen volgden we nu op de balletacademie. Het leek alsof het dansen daarmee nog belangrijker was geworden. Er was steeds minder ruimte voor andere dingen. Soms had ik een vriendje, maar de meeste vriendjes pasten niet zo goed bij me.

Met één jongen had ik een paar maanden verkering. Hij heette Danny en hij woonde twee straten verder. In het begin vond Danny het leuk dat ik danste. Later niet meer.

Hij wilde 's avonds naar de snackbar. Meestal ging ik niet mee omdat ik vroeg naar bed wilde. Als ik wel meeging zat ik aan een tafeltje te kijken hoe Danny een kroket at.

'Hapje?' vroeg hij.

Ik schudde mijn hoofd.

Een andere keer wilde hij met de bus naar het strand. Of hij wilde naar de film. Ik had vaak geen zin en meestal geen tijd.

Ik wilde het uitmaken, maar Danny was me voor.

Mijn moeder vroeg of ik verdrietig was.

'Ja,' zei ik, omdat het zo hoorde.

Eigenlijk was ik wel opgelucht. Mijn moeder ook.

'Veertien is nog veel te jong,' zei ze.

Ik wist dat het niets te maken had met veertien en te jong zijn. Het had te maken met ballet.

Veertien

We mochten met spitzen het toneel op. Het was alsof we nu pas echt meetelden. Voor de eindvoorstelling van het schooljaar studeerden we een variatie uit Romeo en Julia in. Ik wilde de hoofdrol, ik wilde Julia dansen.

'Omdat je zelf toevallig zo heet,' zei Tessa.

Maar dat had er niets mee te maken.

Ik vond het een mooie scène. We hadden naar een video gekeken. Julia danst met haar vriendinnen op de muziek van een harp, zo soepel en licht dat je meteen begrijpt waarom Romeo verliefd op haar wordt.

Tijdens de eerste repetitie zouden de rollen verdeeld worden. In de trein naar school pepte ik mezelf op. Ze zouden me uitkiezen omdat ik Julia wel móést dansen. Ze konden niet om me heen.

Maar ik was niet de enige die de rol van Julia wilde. In de kleedkamer merkte ik dat iedereen nerveus was. Er werd niet veel gezegd. Af en toe keken we naar elkaar. Alsof we de kansen wilden inschatten: jij of ik?

Ik haalde mijn spullen tevoorschijn. Balletpak, panty, sweatshirt. Ik zag mijn gewone balletschoenen, maar mijn spitzen kon ik niet vinden. Ik graaide in mijn tas, al wist ik op dat moment al dat het zinloos was. Mijn spitzen waren thuis. Ik had ze uit mijn tas gehaald omdat ik een van de linten beter vast wilde zetten en ik was vergeten ze terug te stoppen. Mijn gezicht begon te gloeien. Ik voelde mijn hart tekeergaan.

‘Krijgen we een eigen versie?’ vroeg de docent. ‘Een nieuwe variatie?’

‘Nee,’ zei ik.

‘Waar zijn je spitzen dan?’

‘Ik ben ze vergeten.’

‘Aha,’ zei de docent. Hij praatte langs me heen tegen de hele klas: ‘Als je danst moet je kansen benutten. Die liggen niet voor het oprapen. Het is een harde wereld, jongedames.’

Het was duidelijk, ik had het verpest. Ik was boos, maar ik dwong mezelf om door te gaan. Dan maar zonder spitzen. De docent hield me in de gaten, iedere keer als ik opkeek ving ik zijn blik.

Aan het eind van de repetitie kwam hij naar me toe.

‘Wat ik zei over kansen benutten... nou ja, dat heb je dus op een andere manier gedaan.’

‘Ja?’ zei ik.

‘Ja. Je deed het goed. Maar zorg in het vervolg dat je alles bij je hebt.’

Dat had hij niet hoeven zeggen. Ik was niet van plan ooit nog iets te vergeten.

Ik kreeg de rol van Julia. We mochten de kostuums van Het Nationale Ballet gebruiken. Ik droeg een jurk waar Igone de Jongh in had gedanst.

‘Worden kostuums gewassen?’ vroeg ik aan Tessa.

‘Dat moet wel,’ zei ze. ‘Anders gaan ze stinken.’

Ik hoopte dat de jurk buiten had gehangen om te luchten en dat er verder niets mee was gebeurd.

Veertien

We zouden met z'n allen naar een voorstelling gaan. Een paar keer per jaar gingen we naar het theater. Kijken naar dans hoorde bij de opleiding. Meestal gingen we naar een generale repetitie, omdat die voorstellingen het goedkoopste waren. Aan het begin van het schooljaar betaalden onze ouders de kaartjes.

Er was geen tijd geweest om na de lessen naar huis te gaan en we hadden broodjes gekocht en kant-en-klare soep bij De Soepwinkel. We hadden met de hele klas in de kantine gegeten. Daarna hadden we ruim de tijd genomen om te tutten. Alleen Tessa was nog niet klaar. Ze draaide een rondje voor de spiegel. Ze had een strakke spijkerbroek aan en een rode blouse. Ik keek naar haar benen. Ze waren dunner dan die van mij. En rechter.

'Schiet nou maar op,' zei ik. 'Iedereen is al weg.'

'Bijna klaar,' zei Tessa. Ze hield haar gezicht vlak bij de spiegel en tipte met een coverstick een puistje aan.

'Ik ga,' zei ik. Maar Tessa wist dat ik zou blijven wachten. Ze draaide nog een rondje voor de spiegel en trok haar blouse strak.

We renden naar Het Muziektheater. De anderen stonden nog bij de ingang, de deuren gingen net open. Tussen de mensen die naar binnen gingen zocht ik naar dansers die, net als wij, kwamen kijken. Ik kon ze er zo uitpikken. Houding, lichaamsbouw, de manier waarop ze bewogen. Dansers herkennen elkaar. Ik maakte mijn rug en mijn nek lang. Ik had schoenen met hakjes aan. Ik liep door de foyer en ik keek of iemand naar mij keek.

De generale repetities waren bijna nooit uitverkocht. Vlak voor het begin van de voorstelling verruilden we meestal onze zitplaatsen voor andere, betere stoelen, ook al was dat verboden. Ik durfde niet zo goed, maar ik deed toch mee.

Dit keer schoven Tessa en ik een paar plaatsen op zodat we naast elkaar bij het gangpad kwamen te zitten.

Het zaallicht doofde. Een danser in een strakke witte legging kwam het toneel op rennen. Hij danste met snelle, ruime bewegingen. Soms was er een plotselinge vertraging. Zijn lichaam boog naar achteren en kwam weer naar voren.

'Je kunt alles zien,' fluisterde Tessa bij een volgende achteroverbuiging. 'Hij heeft een grote.'

'Wat?'

'Een grote dinges,' zei Tessa. 'Belachelijk.'

Ik keek naar de danser. Tessa had gelijk.

Er kwam nog een danser op en even later kwamen er twee danseressen bij. Ik kon mijn aandacht er niet goed bij houden. Ik moest steeds naar het kruis van de eerste danser kijken en het werd steeds grappiger.

'Dat is niet normáál,' fluisterde Tessa. 'En dat je er dan zó bij moet lopen.'

Tevergeefs probeerde ik mijn lachen in te houden. Ik hield mijn hand op mijn mond, maar er kwamen proestgeluiden onderuit.

Ik werd op mijn schouder getikt.

'Meekomen!' siste een stem.

Ik keek opzij. Galina stond naast me. Ik had nooit les van haar gehad, maar ik wist hoe ze heette want er werd vaak over haar gepraat. De helft van de leerlingen was als de dood voor haar en de andere helft vond haar geweldig.

We liepen zo geruisloos mogelijk door het gangpad. Galina duwde me voor zich uit naar twee vrije zitplaatsen achter in de zaal. Ik moest naast haar komen zitten.

'En je blijft straks hier,' zei ze.

In de pauze, toen het applaus voorbij was en bijna iedereen de zaal verlaten had, keek ze me aan. Ze had lichte ogen met kleine pupillen.

'Shame!' zei ze.

'Sorry.'

Ik wist niet wat ik verder nog moest zeggen. Het was de eerste keer dat ik zo werd toegesproken door een docent.

'Go,' zei Galina. 'Go!'

Ik liep de zaal uit. Ik was vlak bij de deur toen haar stem me achterna kwam: 'Je kunt blij zijn dat je geen straf krijgt.'

Tessa zat in de foyer op me te wachten. 'En?'

'Niks. Ik heb sorry gezegd en toen mocht ik weg.' Ik wachtte even. Tessa moest nu sorry tegen mij zeggen, vond ik, maar ze hield haar mond dicht. Ze ging in de rij voor de bar staan om koffie te halen.

Ik ging op een stoel zitten en maakte mezelf klein. De mensen in de foyer hielden me in de gaten, dat wist ik zeker.

Veertien

Bij de volgende voorstelling, een paar weken later, bleef ik op de plaats zitten die bij mijn kaartje hoorde. Ik durfde niet te verhuizen omdat ik bang was dat Galina op de loer lag. Maar vanaf de eerste muziektoon kon het me niet meer schelen waar ik zat. Vanaf de eerste danspassen was er nog maar één ding: het toneel, en iedere plaats in de zaal was goed.

De muziek was scherp en eentonig en anders dan ik ooit had gehoord. Het podium stroomde vol met klank. Het achterdoek was een klein beetje opgetrokken en een streep felgeel licht scheen eronderdoor. Dansers in wijde broeken en danseressen met blote benen, de ene prachtige beweging na de andere en ondertussen kroop het achterdoek heel langzaam verder omhoog en werd de gele lichtstreep breder zodat de dansers steeds iets beter te zien waren.

De toon van de muziek ging met het achterdoek mee omhoog. De dansers bleven bewegen, bleven de hele tijd op het toneel alsof alles altijd maar moest doorgaan en niet mocht stoppen: het omhooggaan van het doek, het feller worden van het licht, het opklimmen van de muziek.

Iedere danser had zijn eigen wereld. Er was bijna geen contact. Als twee dansers samen dansten, dansten ze allebei toch alleen, opgesloten in onzichtbare luchtbellen die elkaar niet echt konden raken. Maar al die kleine werelden werden toch één grote wereld die alles verbond. De dansers dansten het achterdoek omhoog of misschien was het andersom en liet het achterdoek de dansers dansen. Alles had met elkaar te maken.

Toen het achterdoek helemaal omhoog was getrokken, scheen het gele licht overal. De dag was begonnen en de dansers strekten hun armen uit en bleven staan. Allemaal behalve één man. Die danste door en door alsof er geen dag en nacht bestond. Alsof zijn kleine wereld was losgeraakt van de rest.

Als ik zo zou kunnen dansen. Als ik dat zou kunnen leren. Als ik onderdeel zou kunnen zijn van zoiets moois en ongrijpbaars.

Thuis kon ik niet goed uitleggen wat ik had gezien.

'Het was zuiver,' zei ik. 'Schoon.'

'Schoon?' zei Inez.

'Ik begrijp wat je bedoelt,' zei mijn moeder.

'Het zag eruit alsof het zo hoorde,' zei ik.

Daarna gaf ik het op. Ik zou nooit duidelijk kunnen maken wat me zo geraakt had. Het was moeilijk om woorden te vinden. Maar het was niet moeilijk om het te voelen. Als je danste kon je een stukje worden van iets veel groters en daar ging het om. Ik had het gevoeld toen ik in De Notenkraker danste en soms op andere momenten, in andere voorstellingen. Als het zo ging was de pijn niet erg. Was de tijd niet erg. Waren de onzekerheid en de angst niet erg.

Vijftien

Halverwege het jaar kreeg ik mijn rapportkaarten. Voor caractère, zoals de folklorelessen nu heetten, had ik een voldoende. Ook voor klassiek had ik een voldoende. Voor moderne dans en jazz had ik een ruim voldoende.

Mijn vader en moeder waren tevreden.

'Het is niet genoeg,' zei ik.

De meeste leraren waren enthousiast. Waarom schreven ze dan niet op dat ik goed was? Ik las de opmerkingen op de achterkant van de kaarten steeds opnieuw.

Klassiek: *Rug is stijf. Vergeet niet dat de flexibiliteit van de rug erg belangrijk is.*

Jazz: *Meer variatie in presentatie en sterker worden in je armen. Meer dynamiek, meer kracht opbouwen.*

Caractère: *Kan expressiever.*

Moderne dans: *Goed werk, maar het mag allemaal best losser, wijder, dieper. Plié is plié, niet een beetje plié. Los is los, niet een beetje los. Klein is klein en groot is groot. Ga alsjeblieft niet voor de middelmaat, daarvoor heb je te veel in huis.*

Ik had een stijve rug, ik liet niet genoeg variatie zien, mijn armen waren te slap, ik had te weinig kracht, het moest losser, ik deed alles een beetje in plaats van helemaal. Maar ik had te veel in huis voor de middelmaat.

Niemand zei meer dat ik de beste van de klas was. Er waren veel leerlingen afgevallen en wie overbleef was goed. Tessa en Kitty waren goed. Misschien waren ze zelfs beter. Of zouden ze beter worden. Het lag nooit vast, het was altijd in beweging. Je kon nooit zeker zijn van je plaats.

Ook op de balletacademie had Jozef een spreekkamer. Twee keer per jaar werden we gekeurd.

'Is er iets mis met mijn rug?' vroeg ik.

'Welnee,' zei Jozef.

Ik vertelde hem over mijn rapport.

'Je snapt best hoe het zit,' zei Jozef. 'Het gaat om mogelijkheden. Het gaat erom wat ze in je zien.'

'Ik doe mijn best.'

'Aha,' zei Jozef. 'Ze doet haar best.'

'Ja,' zei ik.

Jozef neuriede een stukje uit Romeo en Julia. De dans van de ridders. Ik neuriede een klein stukje mee. Ik durfde bij Jozef meer dan bij een ander.

'Julia, mijn Julia,' zei Jozef. 'Je hebt talent en je moet het gebruiken.'

Hij zei er niet bij hoe.

Vijftien

Ik was blij dat ik geen les van Galina had. Maar het zou er wel van gaan komen. Na de vakantie.

'Ze is vreselijk,' zeiden de leerlingen van een hogere klas. 'Superstreng. Ze is wel goed, maar als je iets fout doet maakt ze je af. Echt.'

Ik zag haar in de gang. Tessa stootte me aan.

'Niet kijken.'

Ik keek toch.

Galina pikte mijn blik op. 'Moeten jullie ghier zijn?'

'Nee,' zei Tessa.

'Schnel dan maar verder!' Haar stem was hoog en scherp en eigenlijk maakte het niet eens uit wát ze precies zei. Het was de toon waarop. Ik klapte dicht.

Ik deed mijn best Galina te ontlopen, maar toch kwam ik haar zo nu en dan tegen. Meestal zei ze niets en dan haalde ik opgelucht adem als ik haar voorbij was. Soms groette ze en dan probeerde ik zo rustig mogelijk iets terug te zeggen. Iedere keer als ik haar zag gloeiden mijn wangen en verkrampte mijn keel.

Ik hoorde verhalen over huilende meisjes die na de lessen van Galina moesten worden getroost. Verhalen over leerlingen die van school waren gegaan omdat ze niet tegen haar op konden.

Vlak voor de vakantie kregen Tessa en ik te horen dat we voor de lessen klassiek waren overgeplaatst naar een hogere klas. We begonnen te gillen. Niet alleen omdat we een klas over mochten slaan maar ook omdat we nu geen les van Galina zouden krijgen. Waarom ik een klas over mocht slaan begreep ik niet goed. Maar ik dacht aan de woorden van Jozef. Het ging om mogelijkheden. Om wat ze in me zagen.

In de zomervakantie kreeg ik het rooster thuisgestuurd. We waren net drie weken in Italië geweest en ik had dagenlang geluierd. Alleen mijn rek- en buikspieroefeningen had ik bijgehouden. Thuis lag de post te wachten. Mijn moeder maakte er vijf stapeltjes van. Het stapeltje van Lisa was het kleinste, daarom mocht zij als eerste de *Yes* lezen.

'Als je langdurig bruin wilt blijven moet je smeren,' las ze voor.

Ik maakte de brief van de academie open. Meteen zag ik Galina's naam, hij knalde van het papier. *Spitzenles: Galina Raskova.*

'Met een goede lotion,' zei Lisa. 'Aloë Vera Gold, dat is het beste.'

'Is dat zo belangrijk?' snauwde ik haar toe.

Ze keek me verbaasd aan.

Ik belde Tessa.

'Heb je het rooster gezien?'

'Ja.' Het klonk nogal opgewekt.

'En?'

'Galina!'

'Galina de Verschrikkelijke. Moet ik bang worden?'

'Ik wil geen les van haar.'

'Ik ook niet,' zei Tessa. 'Maar daar trekt niemand zich iets van aan. Kom op, Juul, het is alleen spitzenles. We krijgen klassiek van Marat!'

Marat was lang en knap en hij hield van een lolletje. Tessa was dol op hem.

'Maak je niet druk,' zei ze.

'Nee,' zei ik.

Ik zag Galina voor me met haar starende ogen. Ik nam me één ding voor: ik zou nooit huilend de klas uit lopen en ik zou me niet van school laten jagen. Niet door haar.

De eerste les van Marat begon zoals ik had verwacht. Hij deed zijn best om grappig te zijn.

'Ballet is perfectie,' zei hij. 'Alles moet kloppen en als het niet klopt...' Hij rolde met zijn ogen. 'Ik ben meedogenloos.'

We hadden voor het eerst klassiek in een gemengde groep. Er stond een jongen aan de overkant van de zaal die ik leuk vond: Duncan. Hij was lang en gespierd en hij had iets uitdagends. Hij keek een beetje spottend, maar op een aardige manier. Jozefachtig.

We begonnen met een serie pliés aan de barre.

'Demi plié in vieren,' zei Marat. 'Demi en op, demi en op, gráááánd. Port de bras en op. Tendu tweede met een kleine cambré.'

Hij liep langs de barre.

'Davai! Kijk naar je hand. Kijk naar je hand alsof je een grote fonkelring draagt. Kijk naar die ring!'

Achter een van de meisjes bleef hij staan.

'Hoeveel broekjes heb je aan?'

'Eén,' zei het meisje.

'Nee,' zei Marat. 'Drie of vier zou ik zeggen. Minstens. Of je moet zijn aangekomen.'

'Eén!' zei het meisje.

'Oké, oké,' zei Marat. 'Eén broekje, ik zal het niet controleren.'

Ik moest erom grinniken.

'Je lichaam is een instrument,' riep Marat de zaal in. 'Je moet er goed voor zorgen, maar niet iedereen begrijpt kennelijk wat ik daarmee bedoel.'

Hij liep verder. 'Derde, vierde en vijfde positie. Soutenu en dehors naar links. Davai!'

Bij mij aangekomen bleef hij stilstaan.

'Wat heb je vanmorgen gegeten?'

Ik gaf niet meteen antwoord.

'Niks?'

'Yoghurt,' zei ik zachtjes.

'Geen hamburgers? Weet je het zeker?'

'Geen hamburgers,' zei ik.

'Mooi,' zei Marat. 'Kijk naar je hand, yoghurtje.'

Grand plié. Ik zakte door mijn knieën tot mijn billen net boven mijn hielen waren.

'Wow,' zei Marat. 'Een kilometer kont.'

De anderen lachten. Duncan had een grote grijns op zijn gezicht.

Vijftien

Meteen na de les van Marat begon Galina met haar spitzenles. Mijn lijf was stug en ik wilde het liefst de zaal uit lopen. De woorden van Marat zongen na in mijn hoofd en nu zou Galina er nog een schepje bovenop doen.

Ze keek mij en Tessa aan zonder iets te zeggen.

Tijdens de pliés gaf ze commentaar, maar niet op ons.

'Plié en op! Plié en op! Up up up! Kracht uit je voeten en je tenen! Het uur van de waarheid, dames, nu kan niemand meer schmokkelen.'

We moesten langs de barre naar voren stappen.

'Lange liezen,' zei Galina. Ze keek heel even naar Tessa. 'Láng, zei ik.'

Aan het eind van de les gingen we in pas courus over de diagonaal. Snelle trippelpasjes, maar we mochten niet te snel vooruit.

'Je bent een zwaan,' zei Galina. 'Onder water beweegt hij zijn poten en boven de water everything is nice and calm. De wind blaast de zwaan naar de overkant. Armen móói en groot!'

De achterkant van mijn enkel deed pijn. Ik ging te snel en te onbeheerst naar de overkant. Galina negeerde het.

'Een zwaan,' zei Galina tegen een meisje. 'No duck!'

Aan het eind van de les had ze nog steeds niets tegen me gezegd. Ze had me geen enkele aanwijzing gegeven. De volgende dag liet ze me mijn gang gaan en de dag daarna ook. Dan had ik nog liever Marat, die niemand met rust kon laten en me yoghurtje bleef noemen, ook al wist hij dat ik dat vervelend vond.

Aan het begin van iedere les keek Galina me strak aan. Ik dwong mezelf terug te kijken.

Als we eenmaal aan het dansen waren leek het alsof ze me vergeten was. Alsof ik niet bestond. Ze gaf aan één stuk door correcties en soms bleef ze een tijd lang op één meisje inhakken. Mij sloeg ze over.

'Gevoel!' riep ze door de zaal. 'Jullie zijn geen puppets, geen robots. Iek moet zien wat je voelt!'

'Mevrouw de opperrobot,' fluisterde Tessa.

Onverwachts, midden in een les, leek het alsof Galina me in de gaten kreeg. We waren bezig aan een serie tours piqués.

'Julia! Attention!'

Het waren moeilijke draaien. We deden een serie achter elkaar over de diagonaal. Ieder vierde draai was een dubbele.

'Listen to the music!' riep Galina. 'Waar zijn je oren?'

Ze kwam aan het eind van de oefening naar me toe.

'Ears!'

Ik bloosde, maar ik sloeg mijn ogen niet neer. Ik hield mijn hoofd rechtop.

'Je hoeft niet zo te kijken,' zei Galina. 'Het stelt niks voor. Nieks! Ook al zijn andere docenten nog zo enthousiast. Je bent er nog lang niet. Iek zie een mannequin! Een puppet! Geen ballerina.'

Ik voelde hoe mijn keel verkrampte. Mijn huilbui mocht er niet uit. Het lukte me mijn tranen in bedwang te houden tot in de kleedkamer.

'Ze is een bitch,' zei Tessa.

'Van háár leer je iets,' zei een meisje dat Adelheid heette.

Ze was één van de Clara's die niet ziek was geworden toen ik de reserve-Clara was. 'Ze is best streng,' zei ze, 'maar dat doet ze omdat het nodig is. Ze is de beste...'

'De beste bitch,' zei Tessa.

'Misschien hadden jullie geen klas over moeten slaan,' zei Adelheid.

Tessa legde haar arm om mijn schouders.

Op de gang stond Duncan te wachten. 'Gaat het met haar?' vroeg hij aan Tessa.

Vijftien

'Je moet sennathee drinken,' zei het meisje van de broekjes. Ze heette Michelle. Omdat Marat ons allebei te grazen had genomen gaf ze me tips. Ik gaf haar de Japanse mix-tip van Kitty, maar die kende ze al.

'Sennathee maakt je darmen schoon,' zei ze. 'Als ik af moet vallen neem ik iedere avond een kopje. Het werkt meteen. En het is een plant, dus het is niet gevaarlijk. Pillen zou ik nooit nemen, maar senna is gewoon een soort gedroogde boon.'

Ik ging naar de drogist om de thee te halen. De vrouw die achter de kassa stond liet haar ogen langs mijn lichaam gaan.

'Niet te vaak gebruiken, mop,' zei ze. 'Het is tegen verstopping. Dáár is het voor bedoeld.'

'Ik weet waar het voor bedoeld is.'

'Het gaat me niks aan natuurlijk,' zei de vrouw.

Ik wachtte tot vrijdag. Het leek me goed de senna uit te proberen als ik de volgende morgen niet naar school hoefde. Na het avondeten zette ik een pot thee.

'Wat is dat?' vroeg mijn moeder.

'Een speciaal mengsel,' antwoordde ik. 'Ze zeggen dat het gezond is. Vooral voor je spieren en je pezen.'

'Nooit van gehoord.'

'Nou ja,' zei ik. 'Het zal wel geen kwaad kunnen.'

Ik nam de theepot en een mok mee naar boven. Hoeveel moest ik drinken? Michelle had gezegd dat ze iedere avond een kopje dronk. Eén kopje? Ik schonk een mok vol. De rest van de thee goot ik door de wastafel.

Midden in de nacht werd ik wakker met buikpijn. Ik bleef een tijdje liggen met opgetrokken knieën. Ik wilde niet overeind komen, maar ik moest naar de wc. Met mijn handen tegen mijn buik gedrukt liep ik de gang door naar de badkamer. Ik liet me voorzichtig op de wc-bril zakken en probeerde me te ontspannen. Mijn darmen krampten samen en leegden zich. Ik trok door en waste mezelf onder de douche. Mijn buik zeurde na, maar dat was niet erg, het was fijn dat ik alles nu kwijt was. Grote schoonmaak. Ik zou vanaf nu extra goed letten op wat ik at.

In bed sukkelde ik langzaam weer in slaap, maar na een tijdje maakte de pijn me opnieuw wakker. Ik draaide me op mijn zij en probeerde stil te blijven liggen. Dit keer ging het veel sneller. Ik voelde dat ik naar de wc moest en bijna meteen kon ik het niet meer ophouden, ik kon maar net op tijd in de badkamer komen. Diarree. Ik spoelde zittend de wc door om de stank kwijt te raken. Een nieuwe pijngolf. Mijn darmen werden uitgewrongen.

Ik zat ik weet niet hoe lang op de wc, in een zure poeplucht. Ik wilde me wassen, maar ik durfde niet op te staan. Pas tegen de ochtend namen de krampen af.

'We moeten praten,' zei mijn moeder. Ze had geklopt en daarna was ze mijn kamer binnengekomen.

'Waarover?'

'Dat weet je wel.'

We gingen met z'n tweeën op mijn bed zitten.

'Ik mag niet aankomen,' zei ik. 'Dat is alles.'

'Hoeveel weeg je nu?' vroeg ze.

'Net niet te veel.'

'Julia...'
'Je hoeft er niet naar te vragen.'
'Je bent mager.'
'Ik dáns.'
'Dus?'
'Dus dan is het anders.'
Mijn moeder wreef met haar handen over haar gezicht. Ik zag dat ze zich zorgen maakte.
'Die thee mag je weggooien,' zei ik.
'Het is niet alleen de thee,' zei ze. 'Wat doe je nog meer?'
'Niet zoveel.'
'Overgeven?'
'Soms. Alleen als ik echt te veel heb gegeten, dan steek ik mijn vinger in mijn keel.'
Mijn moeder zei niets meer.
'Ben je boos?' vroeg ik toen het een hele tijd stil was geweest.
'Nee,' zei ze zachtjes.
Ik ging dicht tegen haar aan zitten.
'Je bent zo bottig,' zei ze.
'Pezig.'
'Pezig. Ik begrijp dat je niet te veel mag wegen als je danst. Maar je eten eruit gooien, nee. Dat is niet goed, Julia. Echt niet.'
'Ik weet het,' zei ik. 'Ik doe het zo min mogelijk.'
Het was niet gemakkelijk om over te geven, het leek altijd alsof ik mezelf binnenstebuiten keerde. Het koude zweet brak me uit en ik voelde me naderhand trillerig en schuldig. Ik had met mezelf afgesproken dat het een noodmaatregel moest blijven, maar wat was precies een noodmaatregel?
'Laten we samen op je voeding letten,' zei mijn moeder. 'Op een gezonde manier. Wat wil je vandaag eten?'

Ik had nog steeds een beetje last van mijn buik en het idee er iets in te stoppen stond me tegen. Maar ik snapte dat ik daar nu niet mee aan moest komen.

'Een salade,' zei ik.

Mijn moeder streek een plukje haar uit mijn gezicht.

'Salade,' zei ze.

Ze ging boodschappen doen en toen ze thuiskwam maakte ze een van haar lekkerste saladerecepten. Tomaten, komkommer, ijsbergsla en magere feta-blokjes. Citroensap, een piepklein beetje olijfolie en verse basilicumblaadjes. Een theelepeltje mierikswortelsaus. Zout en peper. Verder niets. Ik deed mijn best er iets van te eten.

Zestien

We zaten met z'n zevenen in de trein naar Den Haag. We waren uitgekozen om mee te doen aan een openbare les. Je kon een aanmoedigingsprijs winnen, geld dat je mocht besteden aan je opleiding. Extra lessen in het buitenland, daar dachten we aan.

'Ik wil naar Amerika,' zei Duncan.

'Dan moet je eerst winnen,' zei Tessa.

'Ik ga winnen,' zei Duncan.

'Natúúrlijk,' zei Adelheid.

'Nee, serieus,' zei Duncan, 'je moet niet aan jezelf twijfelen. Als je twijfelt begin je al helemaal verkeerd.'

Ik twijfelde wel. Ik geloofde niet dat het mij zou gaan lukken. De meeste docenten vonden dat ik goed danste, maar altijd waren er opmerkingen. Ik was goed, maar nooit goed genoeg. Ik had het gevoel dat ik langzaam afzakte.

Kitty wist precies wie de aanmoedigingsprijs zou krijgen. 'Er is een meisje uit Den Haag. Naomi. Ze is zó geweldig. Ze heeft een uitstraling, dat geloof je niet.'

'Naomi kan het schudden,' zei Duncan.

Riekje, een meisje uit een hogere klas, zat zonder iets te zeggen voor zich uit te kijken.

'Ik wil me concentreren,' had ze van tevoren aangekondigd.

We lieten haar met rust.

Toen we de kleedkamer in Den Haag binnenkwamen werden we bekeken en zelf keken we ook. Er zat een meisje op de bank. Ik wist meteen dat dát Naomi was. Kitty had gelijk, Naomi had een geweldige uitstraling. En ze had lange benen en sierlijke armen en geen grammetje vet op haar lichaam. Ze keek op en lachte breed naar me. Ze had zelfs perfecte tanden.

De jury zat in de zaal te wachten. Er waren een stuk of dertig leerlingen. Alle oefeningen werden voorgedaan door een oudere danser. Het ging snel en het was ingewikkeld. Ik kon het niet bijbenen en dat maakte me kwaad en zenuwachtig. Ik wist zeker dat ik het verpest had. Vreemd genoeg maakte juist die gedachte me langzaam rustiger. Ik hoefde niet meer bang te zijn, het was toch al te laat. Ik danste vrijer en ruimer, minder verkrampt.

Er was een oefening die ik niet snapte. Hij bestond uit kleine sprongetjes die ik moeilijk met elkaar kon verbinden. Het leek alsof er geen logische volgorde was, geen patroon dat me houvast kon geven. Ik merkte dat de anderen er ook moeite mee hadden. Naomi zag er verhit uit. Ze kwam na een sprong verkeerd neer.

Ik deed het niet eens zo slecht, dacht ik opeens, niet veel slechter dan Naomi. Een van de juryleden bleef me met zijn ogen volgen en maakte notities.

In de trein naar huis wilde iedereen van iedereen weten hoe het gegaan was. Ik hield mijn mond.

'Ze keken wel de hele tijd naar je,' zei Tessa.

Ik haalde mijn schouders op.

'Bij mij ging het goed,' zei Adelheid. 'Ik weet niet, maar alles lukte gewoon. Bijna alles.'

Het duurde lang voordat we iets hoorden. Op een ochtend werd ons groepje bij elkaar geroepen. Joke, de directrice, hield een brief omhoog.

'Dit jaar hebben we het geweldig gedaan. Twee aanmoedigingsprijzen, daar kunnen we trots op zijn.'

Duncan ging rechtop zitten. Adelheid glimlachte.

'Riekje Schwarts,' zei Joke. 'En Julia Raaijmakers!'

Er werd geapplaudisseerd. Tessa gaf me een zoen. Duncan sloeg heel even zijn arm om me heen.

Ik wist niet wat ik moest doen. Opstaan? Meeklappen? Ik voelde mijn gezicht warm worden. Zweetdruppeltjes prikten in mijn nek.

De lessen zouden bijna beginnen en ik was bang voor Galina's reactie. Ik had nu niet alleen spitzenles van haar, maar ook klassiek. Ze liet me bijna iedere les merken dat ze me niet goed genoeg vond. Ik was er nog lang niet. Ik moest niet te veel verbeelding hebben. Ik leek op een pop. Ik had geen oren. En nu kreeg ik een aanmoedigingsprijs.

Gelukkig viel het mee.

'Gefeliciteerd,' zei Galina. 'Iek ghoop dat je nu goed gaat werken.'

Thuis trok mijn vader een fles wijn open.

'Een half glaasje,' zei ik.

'Ik ben trots op je,' zei mijn vader.

'Ik ook,' zei mijn moeder.

'Wat ga je met het geld doen?' vroeg Inez.

'Ik ga een zomercursus volgen,' zei ik. 'In Kopenhagen.'

In Kopenhagen was een balletschool die zich baseerde op de stijl van Bournonville, een Deen die in achttienhonderd en nog wat leefde. Het was een techniek die heel anders was dan de Russische Vaganova-methode die wij volgden en ik wilde heel graag iets anders, al was het maar voor even.

'Kopenhagen lijkt me niets,' zei Lisa. 'Is er geen cursus in Spanje of Portugal?'

Zeventien

Over het havo-eindexamen maakte ik me geen moment zorgen. Mijn hersens werkten goed. Niemand bemoeide zich ermee. Niemand zei dat ik beter zus of zo zou kunnen leren of dat ik eerst dit of dat zou moeten doornemen. Ik ging gewoon mijn eigen gang en ik wist hoe ik het aan moest pakken.

'Je bent zo akelig zelfverzekerd,' zei Tessa.

Zo had ik het nog niet bekeken. Ik voelde me niet zelfverzekerd. Leren was gewoon iets wat ik gemakkelijk kon.

'Ik zal blij zijn als het straks voorbij is,' zei Tessa. 'Dan gaat het alleen nog maar om het dansen.'

'Er zijn toch ook leervakken op het hbo?' vroeg ik.

'Welnee,' zei Tessa, 'dat stelt niets voor.'

'Anatomie toch?'

'En dansgeschiedenis,' zei Tessa. 'Dat soort vakken. Gewoon als extra.'

'Ze hebben een skelet.'

'Boeiend.'

Ik hoopte dat we alle botjes van het skelet uit ons hoofd zouden moeten leren. Ik hoopte dat de anatomielessen hondsmoeilijk zouden zijn. Ik hoopte op hersenvoer omdat ik opeens bang werd van het vooruitzicht niets meer te hoeven leren. Alleen maar te moeten dansen. Mijn lichaam en ik en verder niets.

Inez studeerde kunstgeschiedenis en ik bladerde in haar boeken. Ik stelde me voor dat ik een studie volgde en het dansen ernaast deed. Ik zou balletjuf kunnen worden om iets bij te verdienen. Maar ik wist dat dat niet kon. Dansen ernaast leek niet op wat ik nu aan het doen was. Als ik niet meer iedere dag zou trainen zou ik stapje voor stapje achteruitgaan.

Niemand van ons zakte. Tessa bijna, maar ze kreeg een herexamen en ze redde het op het nippertje. Meteen na de eindejaarsvoorstelling van school zou ik naar Kopenhagen vliegen. De examenfeestjes moest ik overslaan.

Thuis vierden we mijn diploma met een etentje in een restaurant.

'Een Deens restaurant dan maar,' zei mijn vader.

Ik kende geen Deense restaurants. Volgens mij aten de Denen veel vet en weinig groente.

'Italiaans,' zei ik.

'Jij mag het zeggen,' zei mijn vader. Hij nam ons mee naar een restaurant met zingende obers.

'Als we vertellen dat je geslaagd bent, komen ze naast ons tafeltje staan,' zei Inez, 'en dan zingen ze 'Lang zal ze leven' in het Italiaans.'

'Ik ben benieuwd wat hoera is,' zei Lisa.

'We vragen het aan de ober,' zei Inez, maar ik zag aan haar gezicht dat ze het niet zou doen.

Vlak voordat ik vertrok kwam Hanna me een cadeautje brengen. Een flesje knalrode nagellak.

'Voor als je uitgaat,' zei ze.

Hanna ging ieder weekend naar de stad. Soms werd ze dronken en dan moest ze nog het hele eind met de trein naar huis. Of met de nachtbus en dat was nog erger, had ze me verteld. Ze moest nog een jaar naar school en daarna wilde ze naar Australië, een beetje rondtrekken, op boerderijen werken en dan maar zien. Het waren vage plannen. Zo geordend als mijn leven was, zo rommelig was dat van haar. Ik vroeg me af of ik er tegen zou kunnen: een beetje rondtrekken en dan maar zien. Na de vakantie zou ik beginnen aan de vervolgopleiding. Voor de komende drie jaar lag alles vast.

Zeventien

Het appartement in Kopenhagen was een gewoon huis van gewone mensen. Ze waren op reis en wij zaten op hun stoelen en sliepen in hun bedden en kookten in hun pannen.

Ik was niet de enige balletstudent die naar Kopenhagen was gekomen voor de zomercursus. Adelheid was ook mee, haar ouders hadden alles voor haar betaald. Er waren nog meer Nederlanders en ook leerlingen uit andere landen.

Adelheid en ik logeerden op hetzelfde adres. Ik zag op tegen haar gezelschap want ze vond Galina de beste docente die ze ooit had gehad. Galina was haar balletgoeroe en Adelheid wist haar altijd wel een gesprek binnen te loodsen.

'Galina vond het goed dat ik zou gaan. Ze zei dat ik me moest ontplooien. Maar de basis blijft natuurlijk Vaganova, dat zei ze ook.'

We deelden het appartement met een meisje uit Finland. Ze heette Taimi Wiljakainen en ze had geen idee wie Galina was, dat alleen al maakte dat ik liever met haar optrok dan met Adelheid.

Het kamertje waar ik in sliep was van de dochter van het gezin. Het was een treurig kamertje, vond ik, een beetje slonzig en rommelig. Er lagen stapeltjes cd's op de grond. Chopin en Mozart, maar ook Linkin Park en Mortal Love. De kleren die niet mee op reis waren hingen aan een rek. Gothic, maar niet te heftig. Ik werd zo nieuwsgierig naar het meisje dat bij de kamer hoorde dat ik op zoek ging naar een foto, maar ik vond er geen een. Op mijn eigen kamer thuis had ik een prikbord vol foto's. Hier hingen alleen posters aan de muur.

'sMorgens ontbeten we met z'n drieën. Adelheid en Taimi aten geroosterd brood, ik yoghurt met muesli. We praatten met elkaar in het Engels. Adelheid vertelde Taimi dat we een leraar hadden die mij yoghurtje noemde. Taimi vroeg of er ook een leraar was die Adelheid verbrand broodje noemde.

'Of course not,' zei Adelheid.

Na het ontbijt liepen we door het park naar het oude operagebouw. Meestal ontmoetten we onderweg andere studenten. Ik vertrok soms iets later omdat ik het fijn vond alleen te zijn. Ik deed alsof ik op vakantie was, alsof ik overal naar toe zou kunnen gaan, maar ik volgde de anderen, die ik een eind verderop zag lopen.

Achter de artiesteningang van het operagebouw bevond zich een doolhof van gangen, trappen en danszalen. Alles zag er oud en armoedig uit. Verderop in de stad was een nieuw theater geopend en misschien hadden ze geen zin meer om de oude opera op te knappen. Het was net zo treurig als het kamertje in het appartement, maar dan in het groot.

Ik zou twee weken in Kopenhagen doorbrengen. Na de eerste dag vroeg ik me al af waar ik aan begonnen was. Buiten was het zomer en scheen de zon volop, maar ik moest de hele dag binnenblijven. De lessen waren goed en duidelijk en de docenten waren aardig. Ik had alles fantastisch moeten vinden, maar op de een of andere manier lukte dat niet.

Taimi rookte. Ze gaf me een sigaret. Omdat het goed

voor me was, zei ze. Ik had nog nooit iemand horen beweren dat roken goed voor je was. Taimi legde uit hoe het zat. Roken was slecht voor je longen, maar goed voor de lijn. Als je rookte bleef je dun.

Ik ging naar een kiosk en kocht een pakje. De eerste sigaretten vond ik vies, toch rookte ik stug door. Ik rookte er een stuk of vijf per dag en bij het tweede pakje begon het te wennen. Toen merkte ik dat Taimi gelijk had. Als je trek had kon je in plaats van eten een sigaret in je mond stoppen en je hongergevoel verdween.

Af en toe spijbelde ik. Ik ging op een terrasje zitten en bestelde koffie verkeerd met magere melk. Ik dacht aan mijn vader en moeder. Aan Inez en Lisa. Het was bijzonder dat ik nu in Kopenhagen was, zei ik tegen mezelf. Het was een geweldige kans om verder te komen. Thuis dachten ze dat ik hard aan het werk was, maar ik slenterde in mijn eentje langs de haven en ik wist dat ik op deze manier minder ver zou komen dan de bedoeling was. Ik spijbelde niet vaak en alleen als ik moderne dans had. Er bleven nog genoeg lessen over. Klassiek, variatie, pas de deux, spitzen. Dat suste mijn geweten een beetje.

We begonnen om half negen 's morgens en we hielden pas om vijf uur op. De meeste pauzes waren kort. Mijn enkel deed pijn. Ik had er al eerder last van gehad, maar nu werd het erger.

'Misschien heb je een extra botje,' zei Adelheid.

Sommige dansers hadden last van een stukje kraakbeen in hun enkel. Ze moesten geopereerd worden. Of ze moesten stoppen met dansen. Soms maakten we elkaar bang met verhalen over extra botjes. Maar we hadden allemaal wel eens pijn in onze voeten. Een beetje pijn was normaal. Daar had je geen extra botje voor nodig.

’s Avonds in het appartement lag ik op de bank met een kussen onder mijn voet. Taimi en Adelheid nodigden andere meisjes uit om naar balletfilms te komen kijken. Ze hadden allemaal een dvd van huis meegenomen. Na een paar dagen waren alle films aan de beurt geweest en toen zei Adelheid dat ze *The sleeping beauty* nog een keer wilde zien.

Zeventien

Het was zaterdagavond. Na een lange lesdag waren we bekaf, maar toch wilden we uit. Ik had mijn nagels gelakt en ik had schoentjes aan waar ik niet goed op kon lopen.

We dwaalden op goed geluk door het centrum van Kopenhagen. Omdat we nog geen achttien waren kwamen we de meeste clubs niet in. Uiteindelijk vonden we een grote discotheek in een achterafstraatje. Er waren overal zithoeken met oude leren bankstellen en kriskras door de ruimte hadden ze pooltafels neergezet. Er waren drie verschillende dansvloeren, waar bijna niemand op danste. We gingen zitten en bestelden een fles rode wijn. We schrokken van de prijs.

Een jongen met een pluisbaardje kwam bij ons zitten. Hij vroeg of we dansers waren.

'How do you know?' vroeg Adelheid.

We zagen er zo moe uit, zei de jongen. Er kwamen wel vaker dansers en ze zagen er altijd uit alsof ze van vermoeidheid omvielen. We moesten nog wat wijn drinken. Hij bestelde een nieuwe fles. Hij vroeg of Adelheid een potje wilde poolen.

'No no,' zei Adelheid.

Alleen een potje poolen, zei de jongen. En anders moesten we maar komen dansen. Dat konden we vast goed. Hij riep iets in het Deens naar een stel vrienden. Ze kwamen aangeslenterd. Eén jongen droeg een uitgelubberd T-shirt met opdruk: *I'm not drunk. I'm Danish.*

Omdat de wijn zo duur was durfden we niet onaardig te

doen. We dansten en iemand zette de geluidsinstallatie extra hard. De jongens hopten een beetje van hun ene been op het andere. De jongen in het T-shirt kreeg natte plekken onder zijn oksels.

Het had me leuk geleken om de stad in te gaan, maar het was een mislukking. We waren in de verkeerde club met de verkeerde jongens. Ik wist zeker dat Hanna allang de leukste kroeg van Kopenhagen zou hebben gevonden. Het lag aan ons. We pasten hier niet. Eigenlijk pasten we nergens. We kregen het niet eens voor elkaar om normaal uit te gaan.

'Is er iets?' vroeg Adelheid.

'Nee,' zei ik.

'Jawel.' Ze draaide zich om naar de jongen met het pluisbaardje. 'She is not feeling well,' riep ze. 'We are leaving now.'

We moesten een eind lopen voordat we weer thuis waren. Halverwege wilde ik mijn schoenen uitdoen, maar Adelheid werd kwaad.

'Als je in een stuk glas trapt kun je het verder vergeten.'

Terug in het appartement belde ik Hanna huilend op.

'Jee Juul, weet je wel hoe laat het is?'

'Ik wil naar huis,' zei ik.

Het was stil aan de andere kant van de lijn.

'Ben je er nog?'

'Je belde me wakker,' zei Hanna. 'Ik ben half bewusteloos.'

'Ik vind het vreselijk.'

'Huil je?'

'Ja.'

'Waarom?'

'Ik zou het leuk moeten vinden,' zei ik. 'Het is extra, ik

doe het voor mezelf. Maar ik denk de hele tijd aan thuis en dat iedereen nu vakantie heeft en op het strand ligt.'

'Het regent hier,' zei Hanna.

'Maar jij hebt vakantie,' zei ik. 'Je zou op het strand kúnnen liggen.'

'Niet huilen, Juul.'

'Ik heb heimwee.'

'Zijn ze niet aardig daar?'

'Daar gaat het niet om. Het is allemaal zo... Het appartement is vies en mijn kamer is waardeloos en we zijn de hele dag aan het trainen. Als we thuiskomen wil ik niks meer, maar dan komen ze hier met zijn allen balletfilms kijken.' Mijn stem schoot omhoog. 'Doornroosje!'

'Toe.'

'En vanavond,' zei ik. 'Vanavond was het helemaal erg.'

'Niet huilen. Als je het zo erg blijft vinden neem je gewoon een vliegtuig eerder.'

'Dat kan helemaal niet,' zei ik.

'Heb je je ouders gebeld?'

'Nee,' zei ik. 'Ze mogen het niet weten. Ik wil niet dat mijn moeder ongerust wordt.'

'Probeer het nog maar even vol te houden dan,' zei Hanna. 'Ik ga veel aan je denken.'

Ik knikte, maar daar had Hanna natuurlijk niets aan.

'Juul?'

'Ja,' zei ik kleintjes.

'Vind je het erg als ik nu weer ga slapen?'

Het gesprek met Hanna had een klein beetje geholpen, maar niet genoeg. Ook de tweede week in Kopenhagen voelde ik me ellendig. Ik had geen idee wat ik er te zoeken had. Ik stelde me voor hoe het zou zijn om niet meer te dansen. Nooit meer te dansen. Ik zou kunnen studeren, ik zou uit kunnen gaan, ik zou kunnen doen wat ik wilde, lopen zoals ik wilde, eten wat ik wilde. Ik zou teleurgesteld zijn in mezelf, dat ook. Mijn vader en moeder zouden teleurgesteld zijn. Inez en Lisa. Galina zou zeggen dat ze het altijd wel geweten had. 'Nieks! Een puppet!'

We sloten de cursus af met een optreden in het pretpark Tivoli. Het leek alsof alles in Denemarken wel mis móést gaan. Er was een openluchttheatertje met een toneelvloer die zo schuin afliep dat het moeilijk was je evenwicht goed te bewaren. Publiek was er nauwelijks.

Na het applaus moesten de Nederlandse dansers meteen weg om op tijd op het vliegveld te kunnen zijn. Adelheid en ik renden naar het appartement om onze koffers op te halen. Er was geen tijd meer om ze naar beneden te sjouwen, we lieten ze van de trap afhobbelen en daarna probeerden we zo snel mogelijk bij de bushalte te komen. Er was niemand die ons kon helpen. Een Deense jongen in een uitgelubberd T-shirt zou goed van pas zijn gekomen, maar juist nu was er nergens een te zien.

We haalden het vliegtuig op het nippertje. Ik kreeg een plaats bij het gangpad, dus ik kon weinig zien. Het toestel racete over de baan en ik voelde hoe het loskwam van de grond. Het was de omgekeerde wereld: ik vloog naar huis, maar het voelde alsof ik op vakantie ging. Ik deed mijn ogen dicht en ik zei niets, totdat de stewardess thee kwam brengen en een broodje met ham en mayonaise.

Adelheid en ik keken elkaar aan.

We raakten het broodje niet aan. Over een paar weken zou de school weer beginnen. Wat we er aan aten moesten we er ook weer af zien te krijgen. Alles ging gewoon door.

Zeventien

Ik liep met Hanna door de stad. Het was druk en warm.

'Ik wil zitten,' zei Hanna. Ze zocht naar een plek op het terras dat we passeerden.

Ik zocht niet mee. Billen en benen, daar lette ik op. Ik vergeleek iedere vrouw die ik zag lopen met mezelf en bijna iedere vrouw was mooier dan ik. Er waren blote benen en benen en billen in strakke spijkerbroeken. Soms keek ik expres extra lang naar een dikke vrouw om me iets beter te voelen. Zulke dijen had ik gelukkig niet.

Hanna vond twee lege stoelen vooraan. Ze trok haar rok een stukje op zodat haar benen nog bruiner konden worden dan ze al waren.

Er kwam meteen een ober aan.

'Een koffie verkeerd,' zei Hanna. 'En een appelpunt met slagroom.'

'Voor mij alleen een koffie verkeerd,' zei ik. 'Met magere melk.'

'We hebben geen magere melk,' zei de ober.

'Dan een zwarte koffie.'

'Iets erbij?'

'Nee,' zei ik.

Op de stoep liepen de mensen vlak achter elkaar. Billen en benen, billen en benen, billen en benen.

Ik hoorde van deze middag te genieten, van de stad, van het gezelschap van Hanna, maar ik kon alleen maar blijven kijken: billen en benen, billen en benen.

De ober zette onze bestelling op tafel. Er lag een koekje

op de rand van mijn schoteltje. Ik pakte het op en legde het bij Hanna neer.

De ober glimlachte.

'Ze danst,' zei Hanna. 'Vandaar. Ze moet op haar gewicht letten.'

'Mij best,' zei de ober.

'We betalen meteen,' zei ik om van hem af te zijn.

Waarom had Hanna verteld dat ik danste? Het klonk als een excuus. En excuus waarvoor? Er waren zoveel mensen die geen koekje wilden, daar keek geen enkele ober van op.

'Waarom zei je dat?' vroeg ik toen ik betaald had.

'Wat?'

'Dat van dat koekje.'

'Zomaar.'

'Waarom?' hield ik vol.

'Geen idee,' zei Hanna. 'Zomaar.'

'Schaam je je?'

'Natuurlijk niet! Juul, hou nou op met dat gezeur.'

Ik nam een slok van mijn koffie.

'En ga niet boos doen,' zei Hanna. Ze prikte met haar vork in de appeltaart. 'Het is toch niet erg als ze weten dat je danst? Ik ben altijd bang dat ze denken... nou ja, je weet wel wat ik bedoel.'

'Ja ja,' zei ik.

Nu ging Hanna door. 'Dat je anorexia hebt.'

'Dat heb ik niet.'

'Daarom juist,' zei Hanna.

Ik wist zeker dat ik geen anorexia had. Af en toe stak ik mijn vinger in mijn keel, maar dat deden er wel meer. Ik at gezond en best veel, vond ik zelf. Alleen geen troep. Geen vette dingen. Geen zoetigheid. Ik was nooit extreem veel afgevallen omdat ik nooit extreem veel was aangekomen. Ik had er altijd voor gezorgd dat mijn gewicht op peil bleef. Er was een bovengrens: achtenvijftig kilo. Dat leek heel veel, maar ik was langer dan de meeste ballerina's. Achtenvijftig kon nog net. Er was ook een ondergrens: vijfenvijftig. Minder mocht niet. Soms kostte het me moeite om niet verder te gaan. Vierenvijftig, drieënvijftig, tweeënvijftig, ik zou nog minder kunnen wegen als ik zou willen. Ik was bang dat ik mezelf op een dag niet meer zou kunnen stoppen. Bij iedere hap die ik nam dacht ik na.

Mijn moeder vroeg 's morgens hoeveel broodjes ik mee naar school nam. Het liefst zou ze in mijn tas hebben gekeken.

'Ik ben zeventien,' zei ik.

'Ik houd het alleen een beetje in de gaten.'

'Het is privé,' zei ik. 'Ik wil niet dat je me in de gaten houdt.'

Ik hield mezelf al genoeg in de gaten.

Achttien

Galina had een slechte bui. Ze hield haar hand tegen de onderkant van haar rug zodat we niet zouden vergeten dat ze pijn had.

'Het is miesch,' zei ze. 'Don't let me work too hard!'

Met haar stem was niets mis.

'Tendu en sluit, tendu en sluit en drie keer dubbel tempo. Three times! Sluit en wait. Voor, zij, achter en let op je hoofd. Strek je voeten. Feet flat! Geen spaghettibenen. Don't move your hips! No salsa dancing!'

Ik probeerde mijn uitgestrekte voet plat op de grond te houden, maar het lukte niet. Het kón ook niet. Alleen iemand met platvoeten zou het voor elkaar kunnen krijgen.

Pavel speelde iets van Chopin. Hij was mijn favoriete balletpianist. Hij speelde wat er gevraagd werd en bemoeide zich verder nergens mee. Als Galina commentaar gaf op een leerling of een ellenlang verhaal afdraaide, zat hij rustig te wachten. Hij nam een slok uit zijn waterflesje of strekte zijn vingers om ze soepel te houden. Hij deed alsof hij niets zag.

Galina kwam naar me toe. Ze waggelde een beetje omdat ze haar rug wilde ontzien.

'Flat feet,' zei ze. 'Hoor je me niet? Flat feet! Flat feet!'

Ze gebaarde naar Pavel. Toen de muziek weer begon, bleef ze naast me staan om te controleren of het nu wel goed ging. Ik strekte mijn been uit en probeerde mijn voet zo lang mogelijk plat op de grond te houden.

'No!' zei Galina. 'Strek je voet. En luister naar de muziek.'

'Maar het kan niet,' zei ik. 'Mijn voeten zijn niet plat genoeg.' Ik schrok van mijn eigen stem.

Galina trok haar wenkbrauwen op. 'Het kan niet?' zei ze. 'Kijk je wel eens naar ballet? Do you have eyes?'

Ze draaide zich om en liep naar het midden van de zaal. De rest van de les negeerde ze me.

Pas na de laatste oefening kwam ze weer naar me toe.

'Julioeschka,' zei ze kalm. 'Je denkt dat je iets weet, maar je weet niets. Nothing. Je danst als een puppet. No passion, no feelings. Je maakt een pas, maar je moet een pas dánsen! Ik moet jóú zien.' Ze wees met een vinger naar mijn borst. 'You!'

Marat wilde dat ik alles perfect deed. Van hem leerde ik dat iedere beweging moest kloppen. En ook mijn lichaam moest perfect zijn. Het was een instrument. Ik was een instrument. Galina wilde dat ik mezelf liet zien. Ze vond dat ik meer moest zijn dan een instrument. Maar als ik mijn voeten niet plat genoeg neerzette werd ze boos. Dan was het opeens weer niet goed om mezelf te zijn. Ook Galina wilde perfectie zien. Ik snapte niet wat ze precies van me wilden. Ze wilden dingen die niet samen gingen. Net zoals mijn voet niet plat kon worden kon ik geen instrument zijn én mezelf laten zien.

Achttien

We zaten op de grond in de danszaal. Een vrouw in een bloemetjesrok reed het skelet naar binnen. Het hing aan een standaard en het schommelde heen en weer.

'Hallo,' zei ze. 'Ik ben Saskia.' Ze wees op het skelet. 'En dit is Wim.'

'Een kerel!' fluisterde Tessa.

'Sst,' zei ik.

'Wim zal ons laten zien waar alles zit,' zei Saskia. 'En het spreekt vanzelf dat we véél aandacht aan de voeten en de benen gaan besteden. En aan wat nog meer?'

'Het hoofd,' zei Duncan.

'De rug,' zei Saskia. Ze schroefde het been van Wim los. 'We doen het stukje voor stukje. We gaan van onder naar boven.'

Ze liet het been rondgaan en liep zelf de zaal uit. Even later kwam ze terug met een rijdend schoolbord.

'Welkom in de kleuterklas,' zei Tessa.

'Mag ik het been terug?' vroeg Saskia.

Ze begon aan een doodsimpele uitleg over de voetbotjes. Af en toe schreef ze een naam op. We hoefden niets over te schrijven want we hadden een leerboek waar het in stond. En we hoefden echt niet álles uit ons hoofd te leren, hoor, zei Saskia. Als we maar begrepen hoe het in elkaar zat.

'De middenvoet heet *Metatarsus*. En de middenvoetsbeentjes *Ossa metatarsalia*. Ze zijn genummerd.' Ze schreef Romeinse cijfers op het bord. I tot en met V. 'Welk nummer hoort bij de grote teen?'

'Vijf,' gokte Adelheid.
'Eén,' zei Saskia. 'En bij de kleine teen hoort dan?'
'Vijf,' zei Adelheid.
'Klopt,' zei Saskia, 'en de rest zit daar tussenin.'
Leervakken hadden me altijd een goed gevoel gegeven. Iets waar ik geen moeite mee had naast iets waar ik wel moeite mee had: het dansen. Maar nu was het anders. De anatomielessen waren niet genoeg. Lang niet genoeg. Ik had mijn hersens er nauwelijks bij nodig.
'Schrijf een beweging uit,' zei Saskia. 'Schrijf alle botjes op die je erbij gebruikt.'
Ik koos de tendu. Welke botjes moesten plat over de grond kunnen glijden? Ik keek naar het been van Wim en bladerde in mijn werkboek.
De lessen dansgeschiedenis waren een ramp. Het had me een interessant vak geleken, maar het was een droge opsomming en het ging zo snel dat je het onmogelijk tot je door kon laten dringen.
We waren eigenlijk te oud om te klieren, maar we deden het toch. Niemand kon zijn gedachten bij de les houden. Dan had ik nog liever de botten van Wim.

Achttien

De pijn in mijn enkel werd steeds erger. Net boven mijn hiel, zo leek het, zat een steentje met scherpe randjes. Als ik op spitzen stond moest ik mezelf verbijten. Als dat lukte en ik danste door, werd het iets beter. Ik danste dwars door de pijn heen.

Jozef masseerde me, hij trok aan mijn hiel en dan leek het even of er iets meer ruimte kwam. Maar het ging nooit helemaal over. Ik moest naar een arts in het ziekenhuis.

'Geen extra botje,' zei ik tegen mezelf. 'Geen extra botje. Géén extra botje!'

Er werden foto's gemaakt. Het was geen extra botje, het was een cyste. Een soort holte, zei de arts, met vocht. Hij adviseerde rust of een operatie of allebei. Maar in ieder geval: voorlopig niet op spitzen dansen.

Hij droeg een leesbril met halve glazen. Hij keek me aan alsof het doodsimpel was, niet op spitzen dansen.

'Hoe lang is voorlopig?'

'Zeker zes maanden,' zei hij. 'Misschien een jaar.'

De week daarop kwam er een Israëlische balletmeester naar de academie om met ons een ballet van Balanchine in te studeren. Alleen als hij ons goed genoeg vond dansen, mochten we het ballet uitvoeren. Balanchine was al dood, maar zijn werk mocht je niet zomaar op het toneel brengen.

De eerste dag zette de toneelmeester alle meisjes op een rij, van klein naar groot. Daarna deelde hij de rij in tweeën.

De kleine danseressen vielen meteen af. De overgebleven meisjes dansten een miniauditie. Weer vielen er een paar af.
Ik werd ingedeeld bij de eerste cast. Het verbaasde me niet want lange danseressen passen goed in de balletten van Balanchine, ik had een Balanchine-figuur.
We dansten op muziek van Mozart en ik wist dat het goed zou worden. Het was een kans die ik niet mocht laten liggen. Als je gecast werd moest je niet zeuren maar doorgaan.
Eerst keken we naar een ballet-dvd.
'Let op,' zei de balletmeester. 'Hier twee keer acht.'
Hij was klein en mollig en hij praatte Nederlands met een accent dat we nog niet kenden. Georgina, een vrouw die speciaal meegekomen was om ons de passen te leren, deed de bewegingen voor. We dansten en we probeerden naar haar te luisteren maar de balletmeester overstemde alles. Twee keer acht, dat waren twee keer acht sprongen op de punt van je spitzen. Door de pijn heen.
We zaten op een professionele balletschool, zei de balletmeester. Of we zelf wilden tellen want hij zou tijdens het optreden niet vanuit de coulissen naar ons kunnen schreeuwen van je één, twee, drie, vier, enzovoorts. Naar de diagonaal rennen en niet met slappe voeten. Op elkaar blijven letten. Corps-werk. Samenspel. Onze hele danscarrière zouden we elkaar in de gaten moeten houden. In formatie moeten dansen. Of wilden we soms allemaal solist worden? Hij lachte spottend.

Thuis deed mijn enkel zoveel pijn dat ik rust moest houden. Ik sloeg de volgende dag een paar lessen over. Ik zou achterop raken. Maar ik móést Balanchine dansen, als ik opgaf zou ik verloren zijn.
Ik zat met mijn benen languit op de bank. Misschien

wilde ik wel verloren zijn. Als ik nu zou stoppen zou ik een goed excuus hebben.

Maar de volgende repetitie deed ik weer mee. Het ballet van Balanchine was te belangrijk en te mooi. Dertig minuten op spitzen. Iedere sprong sneed door mijn enkel.

Achttien

'De punt van je spitz is een varkensschnuit. A pigs nose, dat is de bedoeling.'

Galina stond voor me. Er was alweer iets niet goed aan mijn voeten. Of ik nu op de punten van mijn spitzen moest staan of juist met mijn voetzool over de grond moest schuiven, er was altijd iets mis.

'Een varken wroet in de grond met zijn neus en zo moet jij in de grond wroeten met je spitz! Wroeten!' Ze draaide met de gestrekte vingers van haar ene hand driftig rond in de palm van de andere.

Het was best leuk gevonden, een roze spitz en een varkenssnuit, maar dat liet ik niet merken. Ik wist heel goed wat de bedoeling was, ook zonder voorbeeld: de hele punt van mijn spitz moest op de grond staan. Dat lukte alleen als ik mijn voet goed strekte en mijn wreef tot het uiterste naar voren duwde. Ik had nog steeds last van mijn enkel.

'Snap je het?'

'Ja,' zei ik.

'Waarom doe je het dan niet?'

Ik was bang dat ik zou gaan blozen. Mijn adem bleef hoog in mijn borst steken.

'Geen power,' zei Galina. 'Geen passie.' Ze liep hoofdschuddend verder.

Misschien had ze gelijk. Geen power. Ik koos vaak een plaats bij het raam als we aan de barre moesten staan. Ik keek naar buiten en ik stelde me voor dat ik daar liep. Mijn aandacht gleed weg. Ik wilde maar één ding: de les uit.

Maar ik wist dat dat niet kon. In mijn hoofd oefende ik: naar Galina lopen en rustig zeggen dat ik niet meer wilde. De zaal uit, de trap af, de gracht op. Ik zou eerst een tijd door de stad zwerven, winkels gaan kijken, koffie gaan drinken. Dan zou ik naar huis gaan om het te vertellen: ik was gestopt.

'Hè hè, eindelijk,' zou mijn moeder zeggen. 'Ik dacht al, wanneer valt het kwartje.'

Het leek op een filmscène. Ik met een wapperend jurkje de vrijheid tegemoet. Met gespreide armen de buitenlucht diep inademend. Maar ik wist dat het heel anders zou gaan. Als ik zou stoppen zou ik me ellendig voelen, net zo ellendig als in de les. En mijn moeder zou ervan schrikken.

'Attention!' gilde Galina. 'Ears!'

Galina's rug werd niet beter. Ze moest rust houden en bijna iedereen vond het jammer.

'Ze is verschrikkelijk,' zei Tessa. 'Maar je leert waanzinnig veel van haar.'

Zelfs Duncan vond dat hij enorm vooruitging dankzij Galina.

Ik hield mijn mond. Ik ging niet vooruit, niet zoveel als de anderen.

Twee maanden. Zo lang moest Galina thuisblijven. Op z'n minst. We kregen Hella als vervangster, een docente die ik nog niet kende.

Adelheid kende haar wel: 'Ze is zó soft. Ze doet een oefening in drie keer acht en als de muziek erbij komt snapt ze zelf niet dat het fout gaat.'

Het kon me niet zoveel schelen of de oefeningen klopten of niet. Ik was blij met Hella. Ze liep zachtjes door de zaal. Ze kon haar stem verheffen als het nodig was, maar zonder dat hij schel en snijdend klonk.

'Denk om je wreef,' zei ze als ik op mijn spitzen stond. Meer niet.

Ik kon mijn voeten beter strekken. Ik verkrampte minder snel.

Na een les vroeg Hella of ik even wilde blijven.

'Gaat het wel met jou?' vroeg ze.

'Ja,' zei ik.

'Ik vraag het,' zei Hella, 'omdat ik iets mis. Je danst goed, maar misschien is het allemaal iets te technisch. Ik zou je zo graag wat expressiever zien, met wat meer plezier.'

'Ja,' zei ik. Er spookte van alles door mijn hoofd maar ik hield het binnen. Ik praatte met geen enkele docent over mezelf.

'Gaat dat lukken?' vroeg Hella. 'Is er genoeg plezier?'

Ze keek me onderzoekend aan. Ze had een lief gezicht met vriendelijke ogen.

'Ik doe mijn best,' zei ik. 'Maar ik kan niet overal tegelijk op letten.'

'Je hoeft er niet op te letten. Het moet er zijn.'

Ik wist dat ze gelijk had, maar ik stribbelde toch tegen. 'Ik moet een beweging eerst kunnen snappen.'

'Zo maak je van dansen een denksport,' zei Hella, 'en dat is niet de bedoeling.' Ze bukte zich om haar tas te pakken. 'Ik kom er nog een keer op terug, het hoeft niet nu.'

'Nu is goed,' zei ik.

Ze ging rechtop staan.

Ik wilde praten. En het moest maar meteen, want anders zou ik misschien terugkrabbelen en weer alleen blijven met alle dingen die door mijn hoofd spookten.

Achttien

Ze nam me mee naar een eethuisje. Ik bestelde een salade zonder dressing en een Spa rood.

'Heel verstandig,' zei Hella. 'Ik neem hetzelfde.'

Nu ik had besloten om over mezelf te praten deed ik mijn best zo eerlijk mogelijk te zijn. 'Nee,' zei ik.

'Nee?'

'Nee, niet verstandig. Ik maak me te veel zorgen over eten.'

'Dat is jammer,' zei Hella. 'Ik denk dat je niet zo streng hoeft te zijn.'

'Juist wel,' zei ik. 'Als ik mezelf laat gaan dan moet ik...' Ik tilde mijn hoofd op en keek haar aan. 'Dan moet ik mijn vinger in mijn keel steken.'

'Ik ben bang dat je niet de enige bent,' zei Hella. 'Ik zou zo graag willen dat er wat meer aandacht voor was. Dat we jullie beter zouden kunnen begeleiden.'

Een meisje kwam de Spa brengen en we wachtten tot ze weer weg was.

'En er is nog meer,' zei ik. 'Eigenlijk maak ik me zorgen over alles.'

Hella zette haar glas neer, ze was van plan om goed naar me te luisteren.

'Ik weet niet of ik het ga redden. Ik weet niet of ik verder kan of verder wil. Mijn enkel doet pijn en ik snap niet wat de bedoeling is en ik kan me gewoon niet voorstellen dat ik zo door moet gaan.'

Ik ging steeds sneller praten.

'Het is nooit goed genoeg en iedere dag weer opnieuw hier naartoe komen en dan mezelf... altijd zweten, altijd buiten adem zijn en er is altijd wel iets wat dan nog beter moet!'

Hella legde haar hand op mijn arm.

'En ik weet niet of ik het beter kán,' zei ik.

'Natuurlijk wel,' zei Hella. 'Je kan het beter want je hebt talent. Ik wilde je eigenlijk iets vertellen vandaag. Ik weet dat de balletmeester van Het Nationale Ballet geïnteresseerd is.'

'In mij?'

'Iets in de wandelgangen,' zei Hella. 'Niets officieels. Maar het zou goed kunnen dat je daar een stageplaats krijgt.'

Ik staarde een tijdje naar het tafelblad. Het Nationale Ballet. Beter kon niet.

'Ben je blij?'

'Heel blij,' zei ik. 'Maar ik begrijp niet waarom.'

'Kom op,' zei Hella. 'Je wéét dat je talent hebt. Je hebt een beurs gewonnen. Je denkt toch niet dat iedereen achterlijk is?'

'Nee,' zei ik.

Het was moeilijk uit te leggen. Ik wist dat ik talent had, maar ik wist nooit wat dat precies betekende. Iedereen had talent. Iedereen die nu nog over was kon dansen. Ik kreeg zoveel commentaar dat ik in ieder geval één ding snapte. Geen talent was groot genoeg. Het was nooit af. Ik zou altijd moeten werken totdat ik niet meer kon. Ik zou altijd bang zijn dat ik het niet redde, dat mijn lijf het liet afweten, dat ik te dik werd, dat ik het fout deed.

'Jozef vroeg een keer iets,' zei ik. 'Dat was toen met De Notenkraker. Hij vroeg of ik nog van dansen zou houden als niemand naar me keek. Ik moest het voor mezelf willen, dat zei hij. Ik heb er toen wel over nagedacht, maar ik begreep het niet helemaal. Ik vond het een rare vraag. Natuurlijk deed ik het voor mezelf. Maar nu weet ik wat Jozef bedoelde. Echt voor jezelf dansen, dat is iets anders. Dan moet het van binnenuit komen. Ik weet niet of het bij mij van binnenuit komt. Misschien is het alleen iets waar ik aan begonnen ben en nu moet ik wel verder. Als ik moet optreden is het fijn, maar daarna is het alleen maar zwaar.'

Hella zweeg een tijdje en dat vond ik prettig. De woorden dwarrelden nog na en het duurde even voordat alles weer kalm werd.

'Ik weet niet hoe het bij jou zit,' zei Hella toen de stilte lang genoeg had geduurd. 'Of het wel of niet van binnenuit komt weet je zelf het beste. Maar al die dingen die je opnoemt zijn herkenbaar. Ik denk dat ze bij het vak horen. Misschien moet je er open over nadenken. Er zijn twee mogelijkheden: stoppen of dansen, en ze zijn allebei goed. Het is niet verkeerd om te stoppen als het niet meer gaat. Het is verkeerd om te dansen als je eigenlijk niet meer wilt. En als je wel wilt dan wordt het tijd om alles opzij te zetten. Je twijfels, je angsten. Dan moet je alles geven.'

'Het een of het ander,' zei ik.

'Het een of het ander,' zei Hella.

Achttien en een half

Galina had het thuis geen twee maanden uit kunnen houden, na drie weken was ze alweer terug. Ze werkte op halve kracht, een gedeelte van haar lessen werd door Hella overgenomen. Stram als een marionet liep ze door de zaal. Een puppet, dacht ik. No feelings.

Na het gesprek met Hella had ik me voorgenomen door te gaan. Alles opzij te zetten en alles te geven. Maar alles was niet genoeg. Nooit. Het zou altijd zó verdergaan en nooit beter worden. Een hele rij Galina's zou me opwachten. Altijd zou er iemand zijn die zich met me bemoeide. Die me vertelde wat er mis was met mijn voeten of met mijn armen of met mijn billen. Met de manier waarop ik bewoog. Die wilde dat ik precies deed wat er van me verwacht werd, maar zonder dat het eruitzag alsof ik deed wat er van me verwacht werd.

Jozef had gezegd dat ik voor mezelf moest dansen. Wat zou ik doen op een onbewoond eiland? Ik wist het antwoord. Niets. Helemaal niets! Ik dacht aan Duncan op een onbewoond eiland. Duncan zou doordansen. Grands jetés over het strand. Er zou niemand zijn om naar hem te kijken en toch zou hij door blijven gaan. Duncan in een rafelige broek. Muziek van Justin Timberlake.

Als ík op een verlaten eiland zou stranden zou ik gaan zitten en ik zou voorlopig niet meer overeind komen.

Galina kwam op me af. 'Julioeschka! Attention! Concentration!'

Ik wilde de zaal uit lopen, weg van Galina. En niet alleen weg van haar. Ook weg van Marat en de andere docenten. Van iedereen die zich ooit met me had bemoeid. De vrouw die bij de allereerste auditie had gezegd dat ik als een pakje boter moest zijn. Duncan en Tessa en de rest.

Ik keek Galina aan. Voor het eerst was ik niet bang.

Ze knikte. Het was een kort knikje, maar ik wist wat het betekende. Ze had me door.

Kom maar op, zeiden mijn ogen. Het is genoeg geweest.

Ik heb het altijd al geweten, zeiden de ogen van Galina. Er ontbreekt iets. Je had het alleen zelf nog niet door.

Ik ga, zeiden mijn ogen.

Ga dan, zeiden die van Galina.

Ik ging niet. Nog niet. Ik wilde geen scène schoppen, dat gunde ik haar niet.

Galina wende als eerste haar blik af. Ze zuchtte. De les ging gewoon door. Het was mijn allerlaatste les, dat wist ik zeker.

Op de terugweg naar het station stopte ik bij De Espressobar. Ik bestelde een koffie verkeerd met magere melk. Ik kan er een muffin bij nemen, dacht ik. Maar ik durfde niet. Zoveel calorieën kon ik niet naar binnen werken. Ik had het altijd fijn gevonden om er als een danser uit te zien. Pezig en gespierd. Zo wilde ik het houden. Het zou moeilijk worden als ik niet meer danste. Ik werd bang. Wat zou er met mijn lichaam gaan gebeuren?

Mijn vader en moeder schrokken niet of misschien konden ze hun schrik heel goed verbergen.

'Ik wist het wel,' zei mijn moeder. 'Dat je twijfelde. En ik heb altijd gezegd dat je ermee op mocht houden.'

'Het is jouw toekomst,' zei mijn vader. 'Jij moet er tevreden mee zijn.'

'Als je spijt krijgt,' zei Inez, 'wat dan?'

'Ze krijgt geen spijt,' zei Lisa. 'Ze heeft er jaren en jaren over nagedacht.'

Ik zat erbij zonder veel te zeggen. Ik had geen idee wat ik moest zeggen. Ik kon alleen maar denken: wat nu?

Negentien

Galina liep voor me, op het perron. Ik herkende haar meteen aan haar stijve passen. Omdat ik haar niet in wilde halen, wachtte ik tot ze bij de trap was. Ze hield de leuning stevig vast en daalde moeizaam af naar de stationshal. Ik volgde haar.

We hadden elkaar na die laatste les niet meer gesproken. Afscheid had ik niet genomen, ze had gelijk gekregen, dat was genoeg. Vanaf het begin had ze geweten dat ik het niet zou gaan redden. Ik had het niet in me en zij had het gezien.

Nu zag ik háár. Ze hield de boel op. Een man met een vouwfiets wilde erlangs. Ze was kleiner dan ik me herinnerde, ik kon me niet voorstellen dat ik ooit bang voor haar was geweest.

Er waren een paar maanden voorbijgegaan sinds ik was gestopt. Het begin was moeilijk: nadat ik thuis had verteld dat ik niet meer wilde dansen, moest ik de academie bellen. Ik had het dagen voor me uit geschoven. Er zou een lang en moeizaam gesprek volgen, dacht ik, maar toen ik eindelijk genoeg moed had verzameld en het nummer had ingetoetst, was het zo gebeurd. Ze hadden het wel verwacht. Het was een moedig besluit, vond de directrice, en ze wenste me veel succes in de toekomst. Dat was alles. Niemand probeerde me over te halen om te blijven.

Ik zat met de telefoon in mijn hand op de bank te wachten. Ik zou verdrietig moeten worden, maar dat gebeurde niet. Ze hadden het wel verwacht en niemand behalve Hella had er op een normale manier met me over gepraat. Misschien zou ik kwaad moeten worden, maar ook dat gebeurde niet.

Ik had me als student economie ingeschreven en iedere dag ging ik met de trein naar de stad om colleges te volgen. Ik at nog steeds yoghurt met muesli. Ik was nog steeds bang dat ik zou uitdijen. Wie weet zou ik op een dag een stuk appeltaart met slagroom kunnen eten zonder me schuldig te voelen. Wie weet zou ik op een dag naar mijn billen kunnen kijken zonder aan de opmerking van Marat te denken. Ik kon me geen voorstelling van de toekomst maken.

Galina liep het stationsplein op. Ik wist welke tram ze zou nemen en wat ze zou gaan doen vandaag. Maar zij wist niets van mij. Ze had geen idee waar ik heen ging, ze had niet één keer achterom gekeken.

Bij de tramhalte hield ze stil. Voordat ik verder liep, bleef ik even wachten. Ik zag Galina de tram instappen en op dat moment voelde ik me zo opgelucht dat ik er blij van werd. Niet omdat Galina wegreed, maar omdat ik de andere kant op ging. Het was echt voorbij. Ik had de juiste beslissing genomen en ik zou er geen spijt van krijgen.

Nawoord

Tot twee jaar geleden had ik een ander leven, ik noem het mijn ‘balletleven’. Het was een leven van iedere dag dansen, iedere dag zweten en blaren tapen. Maar soms, op goede momenten, ook een leven van genieten van het bewegen op mooie muziek en mezelf groter voelen dan de wereld.

Het verhaal van Julia lijkt erg op mijn verhaal maar het is niet hetzelfde. De personen die Julia kent lijken veel op mensen die ik heb ontmoet maar ze zijn niet dezelfden. De gedachtes en gevoelens van Julia waarover je kunt lezen zijn wel zoals ik ze heb ervaren.

Ik heb Marjolijn erover verteld. Mijn eerste ontmoeting met haar was op het Centraal Station in Amsterdam, een halfjaar nadat ik op diezelfde plek voor mijn gevoel mijn balletleven echt had afgesloten. Vanaf dat moment ben ik vaak met de trein naar haar toe gegaan en terwijl we koffie of thee dronken (soms met een koekje!), gingen we terug naar die andere wereld. Met Marjolijn heb ik alle passen weer opnieuw gezet. Ik heb weer de audities gedaan en heb opnieuw voor het eerst op spitzen gestaan. Ik heb weer de onzekerheid gevoeld en heb opnieuw getwijfeld. Maar dit keer niet alleen, ik deed het samen met Julia. Ik vertelde mijn verhaal en Marjolijn luisterde en schreef. Soms schreef ze meer over Julia dan ik over mijzelf aan haar vertelde, Julia en ik zijn immers niet dezelfde, maar vaak herkende ik ook dingen die Marjolijn schreef uit mijn eigen herinneringen zonder dat ik daarover had verteld!

Ik denk dat het verhaal van Julia heel goed laat zien dat ballet niet een sprookje is over Barbie of Balletclub de Zwaantjes. Het verhaal van Julia laat de mooie kanten zien, de schoonheid en trots en het gevoel van vrijheid om te bewegen, zoals maar weinig mensen dat zullen ervaren. Maar het laat ook de kanten van grote onzekerheid, angst en pijn zien waarvan ik denk dat veel dansers ze zullen herkennen.

Ik heb nu een ander leven, maar natuurlijk is ballet nog niet helemaal uit mij verdwenen. Als ik mooie muziek hoor voel ik vaak nog de drang om het in te vullen met een beweging. Maar ik hoef er niets meer mee te doen. Het is iets van mij alleen.

Iris Kuijpers

Toen we aan dit boek begonnen, werd al snel duidelijk dat we ons niet precies aan de werkelijkheid konden houden. Het verhaal ging niet alleen over Iris, maar ook over andere mensen en die wilden we niet met naam en toenaam beschrijven. Je mag iemand niet ongevraagd een boek binnensleuren, vonden we.

Daarom hebben we een nieuw verhaal gemaakt met Julia als hoofdpersoon. De mensen om haar heen zijn deels verzonnen, maar het hele verhaal komt toch erg dicht bij de realiteit.

Zo was er een docent die Iris yoghurtje noemde en ook de kilometer kont is niet door ons bedacht. Er was een docente waar Iris niet mee op kon schieten (en omgekeerd) en er werden harde woorden gezegd. En er was een skelet, maar het heette niet Wim.

We hebben geschoven en gegoocheld met uitspraken en karaktereigenschappen, we hebben alles een beetje door elkaar gehusseld om het verhaal overzichtelijker te maken. Geen enkel personage is precies zo gebleven als het was. Maar alles wat je in dit boek leest is zoals Iris het ervaren heeft.

Ik ben blij dat Iris wilde praten over haar ballettijd. Ze vertrouwde me en ik probeerde zo goed mogelijk met dat vertrouwen om te gaan. Het is niet niks om je eigen geschiedenis aan een schrijver te geven! Om het over onzekerheid te hebben en over sennathee. Zoiets heeft tijd nodig.

Ik heb er veel van geleerd. Ik zal nooit meer op dezelfde manier naar ballet kijken.

Als ik technische vragen had over ballet, belde of mailde ik Iris en als ik er dan nog niet uit kwam, gebruikte ik een boek waar iedere pas in terug te vinden is:
René Vincent, *Klassieke ballettechniek: de techniek en de terminologie van het akademische ballet* (Zutphen: De Walburg Pers, 1992)

Marjolijn Hof